LIBRO 2

¡VIVA!

Anneli McLachlan

LWAYS LEARNING

PEARSON

Published by Pearson Education Limited, Edinburgh Gate, Harlow, Essex, CM20 2JE.

www.pearsonschoolsandfecolleges.co.uk

Heinemann is a registered trademark of Pearson Education Limited

Text © Pearson Education Limited 2014

Developed by Clive Bell
Edited by James Hodgson
Typeset by Kamae Design
Original illustrations © Pearson Education Limited 2014
Illustrated by KJA Artists
Cover design by Pearson Education Limited
Cover illustration © Miriam Sturdee
Cover photo © Pearson Education; Jules Selmes L, Miguel Domínguez Muñoz C, MIXA Co., Ltd BL. Models: Samuel, Estela, Marco, José, Laura, Ramona and Aroa of Colegio Nazaret, Oviedo. With thanks to them and the staff of Colegio Nazaret for their role in the TeleViva videos.

Audio recorded by Alchemy Post (Produced by Rowan Laxton; voice artists: Francesc Xavier Canals, Lorena Davis Mosquera, Ana Rose Delmo Layosa, Elias Ferrer, Hugo Ferrer, Alexandra Hutchison Triviño, Andrew Hutchison Triviño, Mari Luz Rodriquez), with thanks also to Camilla Laxton at Chatterbox voices.

Songs composed and arranged by Charlie Spencer and Alastair Lax of Candle Music Ltd. Lyrics by Anneli McLachlan.

The right of Anneli McLachlan to be identified as author of this work has been asserted by her in accordance with the Copyright, Designs and Patents Act 1988.

First published 2014

17
10 9 8 7

British Library Cataloguing in Publication Data
A catalogue record for this book is available from the British Library.

ISBN 978 1 447 93526 1

Printed in China by Golden Cup

Acknowledgements
The author and publisher would like to thank Teresa Alvarez, Samantha Alzuria Snowden, James Hodgson, María-José Gago, Naomi Laredo, Chris Lillington, Ruth Manteca Tahoces and Nina Timmer for their invaluable help in the development of this course.

The author and publisher would like to thank the following organisations for permission to reproduce copyright material:

Agencia EFE / INE p.31; Natuaventura Ocio y Tiempo Libre www.natuaventura.com p.106; Bravofly Rumbo www.viajar.com p.7; El Corte Inglés www.elcorteingles.es p.74; www.miguiatv.com p.39

The author and publisher would like to thank the following individuals and organisations for their kind permission to reproduce their photographs:

(Key: b-bottom; c-centre; l-left; r-right; t-top)

Alamy Images: AF archive 34c (i), 41r, 44t (i), 123bl, Alex Serge 66t (i), Alibi Productions 8c (ii), Andrew Wilson 8b (v), Antony Nettle 8b (i), 16b (iv), Buddy Mays 108b (iv), Caro 103bl, City Image 103br, conmare GmbH 10c (i), Danita Delimont 64tr, David Sutherland 108b (ii), dbimages 64tc, FirstShot 51, Frans Lanting Studio 27r, Geoff Williamson Selected 103tr, Hemis 109b (iv), Ian Dagnall 102t (i), Images of Africa Photobank 34b (ii), 122b (iv), 123cr, Ingram Publishing 52t (iii), Jack Cox - Travel Pics Pro 76b (ii), Jeff Greenberg 10t (ii), John James 84tr, Jon Arnold Images Ltd 98c, jozef sedmak 76t (iv), Kathy deWitt 10t (i),

102, LOOK Die Bildagentur der Fotografen GmbH 40b, 110r, Moreleaze Tropicana 74b, Nick Hanna 106bl, nobleIMAGES 18t, Paul Thompson Images 103tl, PCN Photography 84br, Peter Horree 75b, Studioshots 54t (i), Travel Division Images 50c, Visions of America, LLC 74c, wendy connett 64br, ZUMA Press, Inc. 120t; **Comstock Images:** 54c (ii), 124c; **Corbis:** 8t (ii); **DK Images:** Andy Crawford 54c (v), 82t (iii), Chris Christoforou 8t (v), Clive Streeter and Patrick McLeavy 16b (i), Dave King 52t (iv), 82t (v), Dave Rudkin 52b (v), Max Alexander 12cr, Neil Mersh 50t (iii), Sian Irvine 54t (iii), 124tr, Simon Smith 52b (vi), Suzanne Porter 53b, Will Heap 52t (i), 52b (iv); **Fotolia.com:** frankgreen 76b (i), Yali Shi 52t (v); **Getty Images:** 2010 FIFA 84tl, 29b, 34t (i), 44t (ii), 44t (iv), 44b (iii), 49t, 123cl, ColorBlind Images 34c (iii), 123/5, Daly and Newton 34t (ii), 44b (iv), 123tc, Ed Lallo 108b (v), FilmMagic 33tl, Henrik Sorensen 62, John Coletti 109b (i), Michael Taylor 40t, North America 84cr, Purestock 106tr, Richard Cummins 109t (ii), s-cphoto 82c (i), stockbyte 12br, StockFood 61t, The Skeeto Lounge 65bl, Troy Aossey 106br, Juan Naharro Gimenez 49b, WireImage 32r, 33tc (i), 33tc (ii), 48; **LinkedIn:** 28 (iii) **Pearson Education Ltd:** Studio 8 12tr, Jon Barlow 32b (iv), Gareth Boden 32t (ii), 32b (ii), Joey Chan 82t (i), Coleman Yuen 54b (i), 124bc, Handan Erek 12cl, 76t (i), 108t, 124tl, Cheuk-king Lo 65t, MindStudio 8b (ii), Miguel Domínguez Muñoz 119b, Tudor Photography 82c (ii), 107, Jules Selmes 8b (iv), 32t (i), 32t (iii), 32t (iv), 32b (iii), 37t, 111br, 129rl, Martin Sookias 99t, Sozaijiten 39r; **PhotoDisc:** / Kevin Sanchez. Cole Publishing Group 12tl; **Reproduced with the kind permission of Mediaset Espana:** 34t (iii), 34c (ii), 34b (iii), 44, 44t (iii), 44b (i), 122b (ii), 122b (v), 122b (vi), 123tl, 123c, 123br; **Rex Features:** c.HBO / Everett 28t; **Shutterstock.com:** 38l, AdrianNunez 98b, alexkatkov 8c (i), auremar 10b (i), bonchan 65b, bumihills 108b (iii), Catalin Petolea 10b (iii), Christian Bertrand 29c, criben 28c, Davor Pukljak 53tr, DeshaCAM 122b (iii), 123bc, holbo x 10t (iii), Jolanda 109t (iv), Jose Ignacio Soto 99b, Karkas 82c (iii), Karramba Production 56, Leila B 97b (i), Liv friis-larsen 102t (iii), Nanisimova 102t (iii), Neirfy 27c, Pagina 8b (iii), Pawel Kazmierczak 100t, PhotoNAN 97t (ii), Robert J. Beyers II 84bl, Rodho 76t (iii), Stocksnapper 97b (iii), Tatyana Vyc 100c, Vinicius Tupinamba 50b; **SuperStock:** Age fotostock 8c (iii), Gerard Lacz Images 109b (ii); **The Kobal Collection:** CBS-TV 38r; **Tuenti:** 28 (i)**Twitter:** 28 (ii)**Veer/Corbis:** Aequitas 16b (iii), Aja 52t (ii), 52b (ii), asb 111bl, Beth Swanson 7t, 16t, Brooke Photo Studio 82t (iv), cloudrain 16b (v), Coprid 97b (ii), Corepics 8t (iv), Danilin 6t, Danny Smythe 54b (iii), 124br, darrenbaker 8t (iii), 29t, Dmitry Fisher 41l, flashon 106tl, Fotoluminate 37tc, gabees 75c, Hike Brauer , homydesign 54c (iv), Irina Fischer 102b (ii), jirkaejc 84cl, jovannig 98t, Kayros Studio Be Happy 82c (iv), 97t (iii), Kayros Studio Be Happy 82c (iv), 97t (iii), kikkerdirk 16b (v), Kitch 54c (i), 124cl, kjersti jorgensen 109b (iii), Leobas 54c (iii), 82t (ii), 124cr, lidi 52b (i), lightpoet 88, Lusoimages.com 82c (v), 97t (v), Lusoimages.com 82c (v), 97t (v), MarFot 97t (i), Maridav 18b, Mariusz Prusaczyk 110l, Mark Shout 12bl, MarkDoh 16b (vi), Markus Mainka 54b (iv), Maxx-Studio 120, MojoJojoFoto 53tc, Monkey Business Images 37bc, 129c/2, Natalia Mylova 54t (v), 64tl, nito 50t (i), 50t (ii), nmiguel 102b (v), nowshika 52b (iii), okea 52t (vi), pat138241 102b (i), Patrick Lane 37b, 129b, Perkmeup Imagery 111tl, Petr Malyshev 82b (i), Philip Lange 109t, pierdelune 27l, pierivb 102b (iv), prill 7b, Raphspam 85, Raptorcaptor 54t (ii), 124tc, saddakos 54b (i), 124bl, Sarah Allison 54t (iv), Sergey Novikov 53c, Sergii Dashkevych 97t (iv), .shock 61b, Shock 6b, 34b (i), 44b (ii), 122b (i), somatuscani 108b (i), stevebyland 39l, 65bc, Stocksnapper 97b (iv), studio portosabbia 82b (iv), Tepic 8t (i), tomasdelamo 10c (iii), visceral image 53tl, VitalyRomanovich 100b, William87 30, WorldsWildlifeWonders.com 109t (i), Xalanx 102b (iii), YellowCrest 76b (iii), zhu difeng 10c (ii); **www.imagesource.com:** Blend 10b (ii)

All other images © Pearson Education

Picture Research by: Caitlin Swain

¡CONTENIDOS!

¡MODULE 1!

Mis vacaciones   6

¡MODULE 2!

Todo sobre mi vida   28

¡A comer! 50

¿Qué hacemos? 74

¡MODULE 5!

Operación verano · 98

1 ¿Dónde están estos destinos turísticos en España?

- **a** Costa del Sol
- **b** Costa Brava
- **c** Pirineos
- **d** Ibiza
- **e** Islas Canarias

2 La ciudad más visitada de España es:

- **a** Benidorm
- **b** Barcelona
- **c** Madrid
- **d** Bilbao

In Spain in August, in big cities like Madrid and Seville businesses and shops often close and things are very quiet, as most Spanish people go on holiday that month. There is a public holiday on 15 August and hardly anything is open that day!

3 Elige la frase correcta.

- **a** En España es posible practicar esquí en 34 estaciones de esquí.
- **b** En España no es posible practicar esquí.
- **c** En España es posible practicar esquí solamente en el parque de nieve de Madrid SnowZone.

4 Este anuncio es para ir de vacaciones en:

viajar.com

Área Cliente   Preguntas Frecuentes   Atención al cliente

AGENCIA de VIAJES ▸ **Vacaciones** ▸ Cruceros ▸ Vuelos ▸ Hoteles ▸ Playas ▸ Circuitos ▸ Vuelo+Hotel ▸ Trenes ▸ Coches

Estás en: Vacaciones > Caribe > México > **Riviera Maya**

Vacaciones Riviera Maya

What information can you understand in this advert? Which clues did you use to work things out?

Reserva tus **viajes a Riviera Maya** al mejor precio con viajar.com. Aprovecha las ventajas de **viajar a Riviera Maya** con las ofertas de viajes que ponemos a tu disposición. Tus **vacaciones en Riviera Maya** comienzan aquí. Selecciona un paquete vacacional de los que se muestran a continuación para cada una de las fechas de salida. Si deseas modificar la fecha, selecciona otra fecha del calendario. Ver menos

a México   **b** Francia   **c** Gran Bretaña   **d** España

5 ¿En qué destinos turísticos caribeños **no** se habla español? (Hay dos.)

a en las Bahamas
b en Cuba
c en la República Dominicana
d en Puerto Rico
e en Jamaica

6 Empareja estos países latinoamericanos con los números correctos.

a Ecuador
b Argentina
c Perú
d Chile
e México
f Costa Rica

De vacaciones

o Talking about a past holiday
o Using the preterite of **ir**

Escucha y escribe las <u>tres</u> (o <u>cuatro</u>) letras correctas. (1–5)
Listen and write down the <u>three</u> (or <u>four</u>) correct letters.

Ejemplo: **1** c, h, i

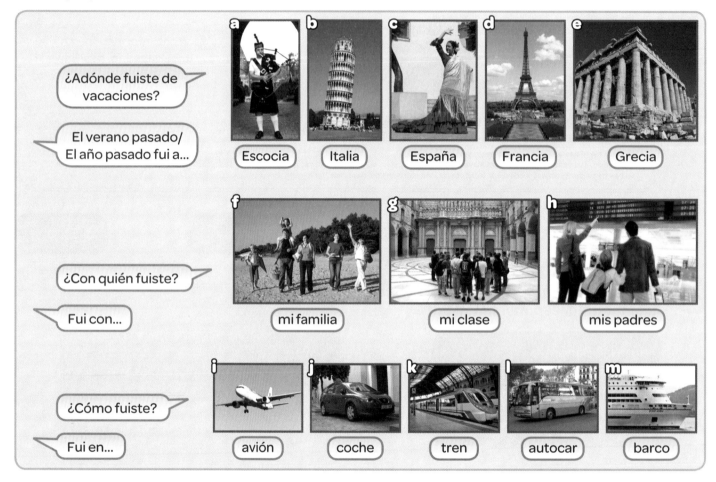

¿Adónde fuiste de vacaciones?

El verano pasado/ El año pasado fui a...

a Escocia **b** Italia **c** España **d** Francia **e** Grecia

¿Con quién fuiste?

Fui con...

f mi familia **g** mi clase **h** mis padres

¿Cómo fuiste?

Fui en...

i avión **j** coche **k** tren **l** autocar **m** barco

Con tu compañero/a, juega al 'bip'. Haz <u>cuatro</u> diálogos.
With your partner, play 'beep'. Create <u>four</u> dialogues.

● ¿Adónde fuiste de vacaciones?
■ El verano pasado fui a *bip*.
● ¿Italia?
■ No.
● ¿España?
■ Sí.

● ¿Con quién fuiste?
■ ...
● ¿Cómo fuiste?
■ ...

| el año pasado | last year |
| el verano pasado | last summer |

Pronunciación

When a word contains two vowels together, pronounce each one separately:
F**ui** a Grec**ia** con mi famil**ia**.
F**ui**mos en av**ió**n.

Describe estas vacaciones en español.
Describe these holidays in Spanish.

Ejemplo: **1** El verano pasado fui a Francia...

1 E v p f a F.
    F c m f.
    F e c.

2 E a p f a G.
    F c m p.
    F e t.

3 E v p f a I.
    F c m c.
    F e b.

Lee los textos. Escribe el nombre correcto para cada dibujo.
Read the texts. Write the correct name for each picture.

Ejemplo: **1** Sara

El año pasado fui a Gales de vacaciones. Fuimos a Borth-y-Gest, un pueblo en la costa. ¡Qué aburrido! Fui con mi madre y con una amiga. Fuimos en autocar.
Sara

El verano pasado no fui de vacaciones, pero en julio fui a una fiesta genial con mis amigos. ¡Qué guay!
Alejandro

El verano pasado fui a Irlanda con mis amigos. Fuimos en coche, luego en barco y después en coche de nuevo. ¡Qué bien!
Samuel

El verano pasado fui de vacaciones con mi instituto. ¡Qué divertido! Fuimos a Bristol, una ciudad en el oeste de Inglaterra. Fuimos hasta Londres en avión y luego en tren.
Isa

1  **2**   **3**  **4**

| **de nuevo** | again |
| **hasta** | as far as |

5  **6**  **7**   **8**

Gramática

You use the **preterite** (simple past tense) to talk about completed events in the past.

ir to go

fui	I went	**fuimos**	we went
fuiste	you went	**fuisteis**	you (pl) went
fue	he/she went	**fueron**	they went

SKILLS

Using adjectives in exclamations

You can use adjectives like **divertido** and **aburrido** in exclamations: **¡Qué divertido!** (What fun!/How funny!) or **¡Qué aburrido!** (How boring!)

Escucha. Copia y completa la tabla. (1–3)
Listen. Copy and complete the table.

	¿adónde?	¿con quién?	¿cómo?	¿opinión? 😊 / 🙁
Valeria	Francia			😊
David			autocar	
Fátima		padres		

Escribe una entrevista con un famoso o una famosa sobre sus vacaciones del verano pasado.
Write an interview with a famous person about their holiday last summer.

● **Rihanna, ¿adónde fuiste de vacaciones el verano pasado?**
■ El verano pasado fui a Italia.
● **¿Con quién fuiste?**
■ Fui con mis amigas.
● **¿Y cómo fuiste?**
■ Fui en avión y luego fuimos en barco. ¡Qué guay!

MODULE 1

¿Qué hiciste?

- Saying what you did on holiday
- Using the preterite of regular **-ar** verbs

1 Empareja las fotos con las frases correctas.
Pair up the photos with the correct sentences.

Ejemplo: **1** d

¿Qué hiciste en tus vacaciones de verano?

To help you with exercise 1, look for verbs you recognise (for example, **bailar**). Also look for nouns you can work out (for example, **fotos**).

a Visité monumentos.
b Compré una camiseta.
c Saqué fotos.
d Monté en bicicleta.
e Descansé en la playa.
f Mandé SMS.
g Bailé.
h Nadé en el mar.
i Tomé el sol.

2 Escucha y comprueba tus respuestas.
Listen and check your answers.

3 Con tu compañero/a, juega al tres en raya.
With a partner, play noughts and crosses.

Ejemplo:
- Tres – Monté en bicicleta.
- Cinco – Bailé.

1	2	3 O
4	5 X	6
7	8	9

Gramática

Use the preterite to refer to actions in the past. Regular **-ar** verbs follow this pattern:

visitar	to visit
visit**é**	I visited
visit**aste**	you visited
visit**ó**	he/she visited
visit**amos**	we visited
visit**asteis**	you (plural) visited
visit**aron**	they visited

Some verbs change their spelling in the I form:
sacar → sa**qué**, sacaste, sacó.

Always stress the accented letter:
visit**é**, visit**ó**, bail**é**, bail**ó**.

▷▷ p22

 1
 2
 3
 4
 5
 6
 7
 8
 9

4 **Lee los textos. Copia y rellena la tabla en inglés.**
Read the texts. Copy and fill in the table in English

Pe la Perezosa

El año pasado fui a Calafell de vacaciones.

Fui con mi familia y fuimos en coche.

El primer día descansé en la playa y luego escuché música. Más tarde tomé el sol y mandé SMS. Después fui de compras con mi madre, pero no compré nada.
¡Qué lástima!

Andrés el Activo

El verano pasado fui a Alicante de vacaciones.

Fui con mis amigos y fuimos en tren.

El primer día nadé en el mar y luego monté en bicicleta. Más tarde visité monumentos y saqué muchas fotos.

Después bailé en la discoteca.
¡Qué guay!

| **No compré nada.** | *I didn't buy anything.* |
| **¡Qué lástima!** | *What a shame!* |

	Pe	Andrés
On the first day…		
Then…		
Later…		
Afterwards…		

SKILLS

Using sequencers

Use sequencers to make your sentences longer and more interesting:

el primer día	on the first day
luego	then
más tarde	later
después	afterwards

El primer día visité monumentos y **luego** descansé en la playa.

5 **Escucha. ¿Qué hicieron? ¿Qué no hicieron? Apunta los datos en inglés en el orden correcto. (1–2)**
Listen. What did they do? What didn't they do? Note the details in English in the correct order.

Ejemplo: **1** visited monuments, …

 To make a verb in the preterite negative, use **no**:
No nadé en el mar.   I didn't swim in the sea.

6 **Con tu compañero/a, haz dos diálogos.**
With your partner, create two dialogues.

Ejemplo:
● **¿Qué hiciste en tus vacaciones de verano?**
■ **El verano pasado fui a Marbella de vacaciones. El primer día…**
y luego… Más tarde… y después…, pero no…

7 **¿Qué hiciste en tus vacaciones? Escribe tu descripción dentro de una forma interesante.**
What did you do on your holidays? Write your description in an interesting shape.

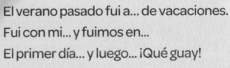

El verano pasado fui a… de vacaciones.

Fui con mi… y fuimos en…

El primer día… y luego… ¡Qué guay!

Más tarde… y después…, pero no…
¡Qué lástima!

¡3! El último día

- Describing the last day on holiday
- Using the preterite of **-er** and **-ir** verbs

1 **Escucha. ¿Quién habla? Escribe el nombre correcto. (1–6)**
Listen. Who is speaking? Write the correct name.

El último día de tus vacaciones, ¿qué hiciste?

Ejemplo: **1** Lucas

| el último día | the last day |

Gramática

In the preterite, regular **-er** and **-ir** verbs follow this pattern:

comer	to eat
comí	I ate
comiste	you ate
comió	he/she ate
comimos	we ate
comisteis	you (pl) ate
comieron	they ate

salir	to go out
salí	I went out
saliste	you went out
salió	he/she went out
salimos	we went out
salisteis	you (pl) went out
salieron	they went out

The I form of **ver** in the preterite does not take an accent:

| vi | I saw |

>> p22

Aitor

Comí paella.

Lola

Salí con mi hermana.

Carolina

Escribí SMS.

Lucas

Vi un castillo interesante.

Eduardo
Bebí una limonada.

Rosa

Conocí a un chico guapo.

2 **Con tu compañero/a, describe el último día de tus vacaciones. Añade una frase cada vez.**

With your partner, describe the last day of your holidays. Add a phrase each time.

Ejemplo:
- ● **El último día de mis vacaciones salí con mi hermana.**
- ■ **El último día de mis vacaciones salí con mi hermana y comí paella.**

3 **Escribe las frases correctamente. Luego escribe la traducción en inglés.**

Write the sentences correctly. Then write the translation in English.

Ejemplo: **1** Escribí SMS.   I wrote text messages.

1 Escribí SMS.
2 Bebí un batido de chocolate.
3 Vi unos monumentos interesantes.
4 Comí tortilla española.
5 Conocí a una chica guapa.
6 Salí con mi madre.

4 **Escucha. Copia y completa la tabla con las letras correctas. (1–4)**
Listen. Copy and complete the table with the correct letters.

	por la mañana	por la tarde
1	e	

a   b   c   d

> **por la mañana** in the morning
> **por la tarde** in the afternoon

e   f   g   h

5 **Lee los textos. Contesta a las preguntas.**
Read the texts. Answer the questions.

El último día de mis vacaciones en México salí en barco por la mañana y luego nadé en el mar. Vi una tortuga. ¡Qué guay! Después fui al bar, donde bebí dos martinis, pero no comí nada. Por la tarde tomé el sol y escribí un SMS muy importante.
James

El último día de mis vacaciones en España fui de compras por la mañana y compré un sombrero negro. Luego fui a la cafetería, donde comí una chocolatina y bebí un té. Por la tarde no descansé en la playa. Salí con mi espada y luché contra la injusticia.
El Zorro

El último día de mis vacaciones en Italia no salí por la mañana. Dormí mucho. No salí por la tarde. Vi la televisión. Salí a medianoche y fui a un restaurante. No comí nada, pero bebí mucha sangre. ¡Qué rica!
Drácula

Who...
1 didn't go out in the morning?
2 went shopping in the morning?
3 went out on a boat in the morning?
4 watched TV in the afternoon?
5 sent an important text message in the afternoon?
6 fought against injustice in the afternoon?

la espada	*sword*
luché contra	*I fought against*
la sangre	*blood*
rico/a	*tasty*

> a + el → al   **al bar**
> a + la → a la   **a la cafetería**

6 **Lee los textos otra vez. Busca el equivalente en español de estas frases.**
Read the texts again. Find the equivalent in Spanish of these sentences.

1 I went out on a boat.
2 I saw a turtle.
3 I bought a black hat.

4 I didn't relax on the beach.
5 I slept a lot.
6 I went out at midnight.

7 **Imagina que eres un personaje de ficción. Describe el último día de tus vacaciones.**
Imagine that you are a fictional character. Describe the last day of your holiday.

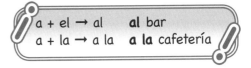

Me llamo...
El último día de mis vacaciones en... por la mañana... y luego...
Después... Por la tarde... y...
¡Qué bien!

¿Cómo te fue?

- Saying what your holiday was like
- Using the preterite of **ser**

1 Escucha y escribe las letras correctas. Añade P (positivo), N (negativo) o P/N (ni positivo ni negativo). (1–9)
Listen and write the letters in the correct order. Add P (positive), N (negative) or P/N (not positive or negative).

Ejemplo: **1** h, P

¿Cómo te fue?

a Fue guay.　**b** Fue raro.　**c** Fue regular.　**d** Fue un desastre.　**e** Fue horrible.　**f** Fue divertido.

g Fue flipante.　**h**  Fue genial.　**i** Fue horroroso.

Gramática

Ser (to be) is irregular in the preterite. You need to learn it by heart.

fui	I was
fuiste	you were
fue	he/she was
fuimos	we were
fuisteis	you (plural) were
fueron	they were

Ser and **ir** are identical in the preterite. For example:
Mi padre **fue** a Francia. **Fue** genial.
My father **went** to France. **It was** great.

▷▷ p23

Pronunciación

In Spanish, **r** and **rr** are different sounds:
r touch your tongue against the back of your front teeth to get a Spanish **r**.
rr sounds like an engine revving!

When a word begins with **r**, it also makes the revving sound: Fui a **R**onda con mi he**r**mano **R**afa. ¡Fue ho**rror**oso!

2 Con tu compañero/a, haz dos diálogos positivos y dos negativos.
With your partner, create two positive and two negative dialogues.

Ejemplo:
- ¿Adónde fuiste de vacaciones?
- ¿Qué hiciste?
- ¿Cómo te fue?
■ Fui a <u>Francia</u>.　■ <u>Nadé en el mar</u>.　■ Fue <u>guay</u>.

3 ¿Cómo te fue? ¿Y por qué? Escucha y escribe las letras correctas. Usa también las letras del ejercicio 1. (1–4)
How was it for you? And why? Listen and write the correct letters. Use the letters from exercise 1 too.

¿por qué?	why?
porque	because

Ejemplo: **1** a, j

j ... visité monumentos interesantes　**k** ... conocí a una chica guapa　**l** ... hizo buen tiempo

m ... perdí mi pasaporte　**n** ... llovió　**o** ... comí algo malo y vomité

4 **Lee los tuits. Copia y completa la tabla en inglés.**
Read the tweets. Copy and complete the table in English

name	destination	🙂 / 🙁	reason
Lola	Argentina		

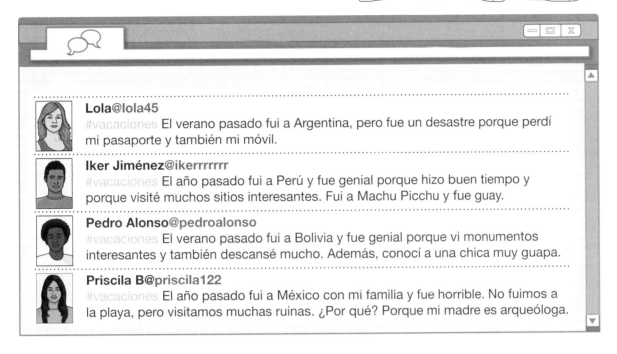

Lola@lola45
#vacaciones El verano pasado fui a Argentina, pero fue un desastre porque perdí mi pasaporte y también mi móvil.

Iker Jiménez@ikerrrrrrr
#vacaciones El año pasado fui a Perú y fue genial porque hizo buen tiempo y porque visité muchos sitios interesantes. Fui a Machu Picchu y fue guay.

Pedro Alonso@pedroalonso
#vacaciones El verano pasado fui a Bolivia y fue genial porque vi monumentos interesantes y también descansé mucho. Además, conocí a una chica muy guapa.

Priscila B@priscila122
#vacaciones El año pasado fui a México con mi familia y fue horrible. No fuimos a la playa, pero visitamos muchas ruinas. ¿Por qué? Porque mi madre es arqueóloga.

5 **Lee la canción. Copia y completa el texto.**
Read the song. Copy and complete the text.

> Think of the meaning of each sentence to help you predict the missing lyrics, but also think about which words might rhyme.

6 **Escucha y comprueba tus respuestas. Luego canta.**
Listen and check your answers. Then sing.

7 **Cambia la canción a una canción positiva.**
Change the song into a positive song.

Ejemplo:

> Fuimos en barco.
> A mí, me encantó.
> Canté y bailé mucho
> Fue divertido.

El año pasado
1 —— a Venezuela.
Fui con mi padre,
y con mi abuela.

2 —— en barco.
A mí, no me gustó.
Vomité mucho,
¡Puaj! Fue **3** ——.

El primer día **4** ——,
No hizo buen tiempo.
Comí algo malo.
No **5** —— divertido.

El último día
¡Ay, ay, ay! ¡Qué lástima!
6 —— mi móvil.
¡Qué mal! ¡Qué mal!
¡Qué mal!

> **me gusta** I like   **me gustó** I liked
> **me encanta** I love   **me encantó** I loved

SPEAKING **SKILLS**

① ESCUCHAR

Javi habla de sus vacaciones del verano pasado. Escucha y lee.
Javi is talking about his holiday last summer. Listen and read.

El verano pasado fui a la Riviera Maya, en México. Fui con mi familia y fuimos en avión.

El primer día monté en bicicleta y visité la selva y unas ruinas mayas. Fue muy interesante y saqué muchas fotos.

Un día fui a la playa, donde descansé y mandé SMS. También escuché música, pero no nadé en el mar.

Otro día fuimos a una laguna donde vi muchas tortugas. ¡Qué guay!

El último día, por la mañana fui de compras con mi hermana y conocí a una chica muy guapa. Por la tarde fui a un restaurante con mi familia donde comí gambas y bebí limonada. ¡Qué rico! Después salimos en barco. Fue genial porque vimos la puesta de sol.

Me encantó la Riviera Maya porque vi muchas cosas interesantes y descubrí la cultura maya. Fue estupendo.

la selva	jungle
otro día	on another day
la tortuga	turtle, terrapin
la puesta de sol	sunset

Zona Cultura

The Riviera Maya is a very popular tourist destination in Mexico. It offers sun, sea, amazing diving and tours of ancient Mayan ruins. The Mayans were a powerful civilisation that once ruled over a large part of Central America.

SKILLS

Making sentences more interesting

Look at how Javi uses the following to make his sentences more interesting:

○ connectives (**y**)
○ time expressions (**el verano pasado**)
○ verbs in the I and we forms (**fui, fuimos**)
○ opinions and reasons (**Fue genial porque...**)
○ exclamations (**¡Qué guay!**)

Can you find more examples in Javi's text?

② LEER

Lee el texto otra vez. Pon las fotos en el orden correcto según el texto.
Read the text again. Put the photos in the correct order according to the text.

Ejemplo: d, ...

 ③ ESCRIBIR

¿Puedes mejorar estas frases?
Can you improve these sentences?

Ejemplo: **1** El verano pasado fui a Francia.

1   Fui a Francia.
2   Visité monumentos. Saqué muchas fotos.
3   Fui a un restaurante. Comí calamares. Bebí una limonada.
4   Fue un desastre. No hizo buen tiempo. Perdí mi móvil y mi pasaporte.
5   Salí en barco. Me encantó.

4 **Haz una lluvia de ideas acerca de tus vacaciones de verano. (¡Verdaderas o imaginarias!)**
Brainstorm ideas about your summer holidays. (Real or imaginary!)

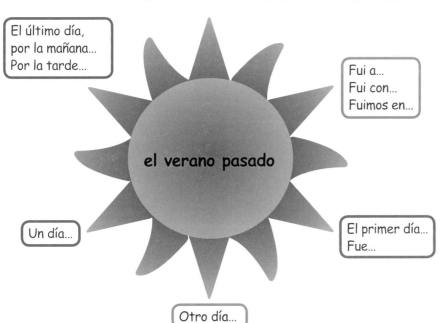

El último día,
por la mañana...
Por la tarde...

Fui a...
Fui con...
Fuimos en...

el verano pasado

Un día...

El primer día...
Fue...

Otro día...

SKILLS

Preparing a presentation

When you prepare a presentation, you can use a mind map. Brainstorm the language you want to use for each particular section. Try to make your sentences interesting, as Javi does. Add details and key phrases for each section.

5 **Haz una versión simplificada de tu mapa mental como apoyo para tu presentación.**
Create a simplified version of your mind map as a prompt for your presentation.

SKILLS

Creating a prompt

Produce a clean copy of your mind map to use as a prompt when you give your presentation. For each section, use visuals and key words to guide what you want to say.

6 **Practica tu presentación.**
Rehearse your presentation.

7 **Haz tu presentación. Tu compañero/a escucha y anota el uso de:**
Give your presentation. Your partner listens and marks your use of:

	perfecto ⭐⭐⭐	bravo ⭐⭐☆	bien ⭐☆☆
connectives			
time expressions			
verbs in the I and we forms			
opinions and reasons			
an exclamation			

SKILLS

Rehearsing your presentation

- Keep your head up. Make eye contact with your audience.
- Record yourself and listen. Are you speaking loud enough? Too fast or too slowly?
- Check the pronunciation of any words you are not sure of.
- Practise in your head and out loud, over and over, until you feel confident.

8 **¿Qué opinas de la presentación de tu compañero/a?**
What do you think of your partner's presentation?

¡Perfecto! Una presentación muy buena.

¡Bravo! Una presentación bastante buena.

¡Vaya! Puedes mejorar tu presentación.

¡EXTENSION!

¡Vaya vacaciones!

- Using the present and the preterite together
- Describing an amazing holiday

Escucha y lee. Mira los dibujos y escribe las letras correctas para Jorge y Laura.
Listen and read. Look at the pictures and write the correct letters for Jorge and Laura.

Ejemplo: Jorge c, …

Normalmente en verano no voy de vacaciones. Leo libros, escucho música o salgo con mis amigos. Jugamos al fútbol en el parque y montamos en bici. A veces vamos a un concierto de música.

Pero hace dos años, mi padre ganó un crucero. ¡Qué suerte! Así que fui a América del Sur. Fuimos en avión hasta Buenos Aires y después en barco a Montevideo, la capital de Uruguay. Visitamos monumentos y compré una camiseta de Montevideo.

¡Fue increíble! Además, conocí a una chica guapa…

Jorge

Vivo en Barcelona y en verano es guay. Voy a la playa todos los días con mis amigas. Tomamos el sol y nadamos en el mar. ¡Es genial!

Pero el verano pasado, mi tía favorita ganó un fin de semana para tres personas en un hotel en Tenerife. Así que fui de vacaciones con mi madre y mi tía y fue estupendo.

El sábado por la mañana montamos en helicóptero y luego, por la tarde, jugué al voleibol en la playa. El domingo fuimos de excursión en moto de agua y vi un delfín. ¡Qué bonito!

Laura

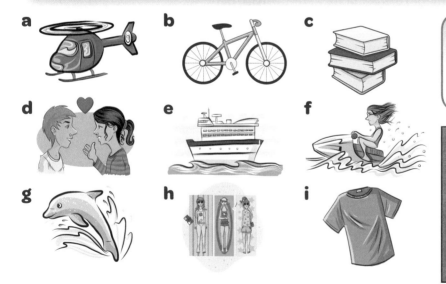

a **b** **c**

d **e** **f**

g **h** **i**

hace dos años	two years ago
Ganó un crucero.	He won a cruise.
así que	so
Montamos en helicóptero.	We flew in a helicopter.

SKILLS

Becoming a vocab detective

Try to work out new words in a text by looking for near-cognates and by thinking logically. Sound out the words too. What do you think **delfín** and **moto de agua** mean?

Busca diez verbos en presente y diez verbos en pretérito en los textos. Con tu compañero/a, compara las listas.
Search the texts for ten verbs in the present tense and ten verbs in the preterite. With your partner, compare the lists.

3 **Contesta a las preguntas en inglés.**
Answer the questions in English.

1 Mention three things Jorge normally does in the summer.
2 How did Jorge travel to the capital of Argentina?
3 What did Jorge do in Montevideo?
4 Who did Jorge meet on his trip?
5 What does Laura do every day in the summer?
6 Who did she go to Tenerife with?
7 What two things did she do on the Saturday?
8 What happened on the Sunday?

 4 **Escucha y escribe los datos de las vacaciones en inglés. (1–3)**
Listen and write the details of the holidays in English.

	Normally…	Last year…
1	doesn't go on holiday, …	

> **Gramática**
>
> To work out whether a sentence is about the present or the past:
>
> **1** Look closely at the verb forms.
>
> | **present** | **past (preterite)** |
> |-------------|----------------------|
> | escucho, tomo | escuché, tomé |
> | salgo, veo, voy | salí, vi, fui |
>
> With **-ar** verbs, the we form is the same in the present and the preterite. For example:
>
> | **visitamos** | we visit/we visited |
> |---------------|---------------------|
> | **jugamos** | we play/we played |
>
> **2** Look at the time expressions.
>
> | **present** | **past** |
> |-------------|----------|
> | normalmente | el verano pasado, hace dos años |
>
> ▷▷ p22

> When using two tenses, check that you are using the correct ending or it may not be clear whether you're referring to the present or the past.

 5 **Con tu compañero/a, prepara dos presentaciones sobre estas vacaciones de verano:**
With your partner, prepare two presentations about these summer holidays:

a

Normalmente en verano ... .

Pero hace dos años mi padre ganó ... Ibiza.

Así que fui a Ibiza ... .

Fue ... .

b

Normalmente en verano ... .

Pero el verano pasado, mi hermana ganó ... Madrid.

Así que fui a Madrid ... .

Fue ... .

 6 **Inventa una historia sobre unas vacaciones increíbles.**
Make up a story about an amazing holiday.

Normalmente en verano no voy de vacaciones. Juego... y a veces... Pero hace... años, mi... ganó... en... Así que fui a... con... Fuimos en... El sábado... El domingo... Además, conocí a...

 7 **Lee la historia de tu compañero/a.**
Comprueba los verbos y comenta su trabajo.
Read your partner's story. Check the verbs and comment on his/her work.

¡Perfecto! Tu trabajo es correcto. ✓✓✓

¡Bravo! Tu trabajo está bastante bien. ✓✓

Tienes que mejorar tu trabajo. Hay errores. ✓

- say where I went on holiday and when
- say who I went with
- say how I travelled
- use the preterite of **ir**
- S use exclamations

El año pasado fui a Irlanda.
Fui con mi familia.
Fuimos en barco.
Fui de vacaciones con mi familia. Fuimos en avión.
¡Qué divertido! ¡Qué aburrido!

- ask someone what they did on holiday
- say what I did on holiday
- use the preterite of regular **-ar** verbs
- use **no** with the preterite
- S use sequencers

¿Qué hiciste en tus vacaciones?
Visité monumentos y saqué fotos.
Monté en bicicleta.
No mandé SMS.
El primer día nadé en el mar y luego tomé el sol.

- say what I did on the last day
- Use the preterite of **-er** and **-ir** verbs

El último día de mis vacaciones comí paella.
Bebí una limonada. Escribí SMS.

- ask someone what their holiday was like
- say what my holiday was like
- give a reason
- use the preterite of **ser**

¿Cómo te fue?
Fue divertido.
porque conocí a un chico guapo
Fue fenomenal.

- S use a mind map to structure my ideas for giving a presentation
- S make my sentences more interesting by using:
  - connectives and time expressions
  - verbs in the I and we forms
  - opinions with reasons
  - exclamations

pero, el primer día
fui, salimos
Fue genial porque...
¡Qué guay!

- use time expressions to recognise time frames
- use verb endings to recognise tenses
- write a story using two tenses
- S use cognates and logic to work out new words

normalmente, el verano pasado
escucho, escuché, veo, vi
Normalmente voy... Pero el verano pasado fui...
delfín, moto de agua

¡PREPÁRATE!

1 **Escucha. Copia y completa la tabla.**
Listen. Copy and complete the table.

	where?	who with?	means of transport	opinion 😊 / 😞
Maribel		class		
Carlos			car	
Victoria	Greece			

2 **Con tu compañero/a, haz <u>dos</u> dialogos.**
With your partner, create <u>two</u> dialogues.

Ejemplo:
● **¿Qué hiciste el último día de tus vacaciones?**
■ **Por la mañana... luego...**
● **Por la tarde... y después... Fue...**

3 **Lee el texto y completa las frases en inglés.**
Read the text and complete the sentences in English.

El verano pasado fui a Tenerife con mi familia.
Fuimos en avión. El primer día fue fenomenal.
Descansamos en la playa y nadamos en el mar,
pero otro día mi padre perdió su pasaporto y luego
mi hermano perdió su móvil. ¡Fue un desastre!

Un día fuimos al restaurante, donde comí algo
malo. Después vomité. Fue horroroso. Otro día
fuimos de excursión en barco y mi madre perdió
su cámara. ¡Qué horror!

Cristina

1 Cristina went to ——— with her ———.
2 On the first day, they ——— and ———.
3 Another day, Cristina's father ———.
4 Then, her brother ———.
5 In the restaurant, Cristina ate ———.
6 On the boat trip, her mother ———.

4 **Describe tus vacaciones. Utiliza el texto del ejercicio 3 como modelo.**
Describe your holiday. Use the text from exercise 3 as a model.

○ Say where you went, who with, and how you travelled.
○ Say what you did on the first day and what you did on another day.
○ Include opinions and exclamations.

The preterite of regular verbs

You use the preterite (simple past tense) to talk about completed events in the past.
Regular **-ar**, **-er** and **-ir** verbs follow these patterns:

bail**ar**	to dance	conoc**er**	to meet	escrib**ir**	to write
bail**é**	I danced	conoc**í**	I met	escrib**í**	I wrote
bail**aste**	you danced	conoc**iste**	you met	escrib**iste**	you wrote
bail**ó**	he/she danced	conoc**ió**	he/she met	escrib**ió**	he/she wrote
bail**amos**	we danced	conoc**imos**	we met	escrib**imos**	we wrote
bail**asteis**	you (pl) danced	conoc**isteis**	you (pl) met	escrib**isteis**	you (pl) wrote
bail**aron**	they danced	conoc**ieron**	they met	escrib**ieron**	they wrote

Some verbs change their spelling in the I form:
sa**c**ar → sa**qu**é   ju**g**ar → ju**gu**é

1 Find the parts of **bailar**, **conocer** and **escribir** in the banner below. Translate them into English.

conocíescribistebailóescribimosbailasteisconocieron

2 Choose the correct verb form to complete each sentence. Translate the sentences into English.

Example: **1** El primer día mi hermana Lola **conoció** a un chico guapo.
On the first day, my sister Lola met a cute boy.

1 El primer día mi hermana Lola **conoció/conociste** a un chico guapo.
2 Un día mi hermano y yo **visité/visitamos** monumentos.
3 Otro día mis padres **salieron/salimos** en barco.
4 Más tarde Lola **escribió/escribí** SMS.
5 Después Lola **monté/montó** en bicicleta.
6 El último día **saliste/salí** con mis padres.

3 Copy and complete these sentences using the correct verb forms.

Example: **1** El primer día nadé en el mar.

1 El primer día ⟶ en el mar. (nadar, I)

2 Luego ⟶ monumentos. (visitar, we)

3 Más tarde mi hermano ⟶ una camiseta. (comprar, he/she)

4 Otro día mis padres ⟶ en la playa. (descansar, they)

5 El último día ⟶ muchas fotos. (sacar, I)

The preterite of ir and ser

Ir (to go) and **ser** (to be) are irregular verbs. They are identical in the preterite.

	ir	**ser**
fui	I went	I was
fuiste	you went	you were
fue	he/she/it went	he/she/it was
fuimos	we went	we were
fuisteis	you (plural) went	you (plural) were
fueron	they went	they were

Mi hermana **fue** a Italia. **Fue** un desastre.

My sister **went** to Italy. **It was** a disaster.

4 **Copy out the text and fill in the gaps using the correct form of ir or ser in the preterite.**

> El verano pasado **1** (I went) a España con mi familia. **2** (I went) en avión. El primer día mi hermano y yo **3** (we went) a la playa. **4** (It was) estupendo. Mis padres **5** (they went) de compras. El último día mis padres, mi hermano y yo **6** (we went) al restaurante. **7** (It was) guay. Y tú, ¿**8** (did you go) de vacaciones a España?

Making verbs negative

To make a statement or a question negative, put **no** before the verb.

No fui a la playa.   I didn't go to the beach.

Mi hermano **no** jugó al golf.   My brother didn't play golf.

5 **Make these sentences negative. Translate them into English.**

Example: **1** No fui a la playa. I didn't go to the beach.

1 Fui a la playa.
2 Fue interesante.
3 Mis padres salieron en barco.
4 ¿La semana pasada montaste en bicicleta?
5 El domingo fuimos de compras.
6 Perdió su pasaporte.

6 **Translate these sentences into Spanish.**

Example: **1** No mandé SMS.

1 I didn't send text messages.
2 I ate something bad, but I didn't vomit.
3 My mother didn't go shopping.
4 We didn't go to the beach.
5 I didn't see the castle.
6 It was nice weather. It didn't rain.

¡PALABRAS!

De vacaciones — On holiday

¿Adónde fuiste de vacaciones?	Where did you go on holiday?
el año pasado	last year
el verano pasado	last summer
Fui a...	I went to...
Escocia	Scotland
España	Spain
Francia	France
Gales	Wales
Grecia	Greece
Inglaterra	England
Irlanda	Ireland
Italia	Italy
¿Con quién fuiste?	Who did you go with?
Fui con...	I went with...
mis amigos/as	my friends
mi clase	my class
mi familia	my family
mis padres	my parents
¿Cómo fuiste?	How did you get there?
Fui/Fuimos en...	I/We went by...
autocar	coach
avión	plane
barco	boat/ferry
coche	car
tren	train
No fui de vacaciones.	I didn't go on holiday.

Exclamaciones — Exclamations

¡Qué bien!	How great!
¡Qué bonito!	How nice!
¡Qué divertido!	What fun!/How funny!
¡Qué guay!	How cool!
¡Qué rico!	How tasty!
¡Qué suerte!	What luck!/How lucky!
¡Qué aburrido!	How boring!
¡Qué horror!	How dreadful!
¡Qué lástima!	What a shame!
¡Qué mal!	How bad!
¡Qué rollo!	How annoying!

¿Qué hiciste? — What did you do?

¿Qué hiciste en tus vacaciones de verano?	What did you do on your summer holiday?
Bailé.	I danced.
Compré una camiseta.	I bought a T-shirt.
Descansé en la playa.	I relaxed on the beach.
Mandé SMS.	I sent texts.
Monté en bicicleta.	I rode my bike.
Nadé en el mar.	I swam in the sea.
Saqué fotos.	I took photos.
Tomé el sol.	I sunbathed.
Visité monumentos.	I visited monuments.
No nadé en el mar.	I didn't swim in the sea.
El último día de tus vacaciones, ¿qué hiciste?	What did you do on the last day of your holiday?
Bebí una limonada.	I drank a lemonade.
Comí paella.	I ate paella.
Conocí a un chico/a guapo/a.	I met a cute boy/girl.
Escribí SMS.	I wrote texts.
Salí con mi hermano/a.	I went out with my brother/sister.
Vi un castillo interesante.	I saw an interesting castle.

¿Cuándo? — When?

luego	then
más tarde	later
después	afterwards
el primer día	on the first day
el último día	on the last day
otro día	another day
por la mañana	in the morning
por la tarde	in the afternoon

¿Cómo te fue?   How was it?

Fue divertido.	It was fun/funny.	Me gustó.	I liked (it).
Fue estupendo.	It was brilliant.	Me encantó.	I loved (it).
Fue fenomenal.	It was fantastic.	¿Por qué?	Why?
Fue flipante.	It was awesome.	porque	because
Fue genial.	It was great.	Hizo buen tiempo.	The weather was good.
Fue guay.	It was cool.	Comí algo malo y vomité.	I ate something bad and vomited.
Fue regular.	It was OK.		
Fue un desastre.	It was a disaster.	Llovió.	It rained.
Fue horrible.	It was horrible.	Perdí mi pasaporte/	I lost my passport/
Fue horroroso.	It was terrible.	mi móvil.	my mobile.
Fue raro.	It was weird.		

Palabras muy frecuentes   High-frequency words

a/al/a la	to (the)	¿Dónde...?	Where...?
en	by	¿Adónde...?	Where... to?
con	with	¡Qué...!	How...!
mi/mis	my	además	also, in addition
¿Cómo...?	How...?	pero	but

Estrategia 1
Looking up new words

Dictionaries can tell you a lot about new words. Most of them use these abbreviations: *nm*, *nf*, *adj*, *vt*, *prep*, *adv*. For example, *nm* tells you a word is a masculine noun; *vt* tells you it's a verb.
What do you think the others tell you?

Look up the words below in a dictionary. (They are all used in Module 1.)
Note down what each word means and what sort of word it is.

Example: espada → sword (noun)

- espada
- descansar
- rico
- salir
- sombrero
- solamente
- ganar
- chocolatina

¡Jugamos!

○ Finding out about a holiday destination
○ Designing a board game

1 **Mira este tablero. Escribe los números de los días cuando se habla de actividades y desastres.**
Look at this game board. Write the numbers of the days where there is a mention of activities and disasters.

actividades: días 1, …
desastres: días 2, …

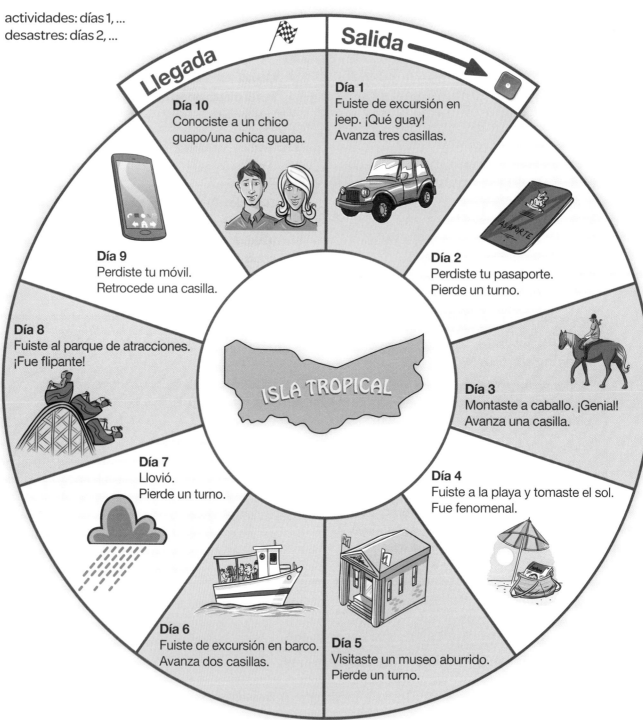

Llegada

Salida

Día 10
Conociste a un chico guapo/una chica guapa.

Día 9
Perdiste tu móvil.
Retrocede una casilla.

Día 8
Fuiste al parque de atracciones.
¡Fue flipante!

Día 7
Llovió.
Pierde un turno.

Día 6
Fuiste de excursión en barco.
Avanza dos casillas.

Día 5
Visitaste un museo aburrido.
Pierde un turno.

Día 4
Fuiste a la playa y tomaste el sol.
Fue fenomenal.

Día 3
Montaste a caballo. ¡Genial!
Avanza una casilla.

Día 2
Perdiste tu pasaporte.
Pierde un turno.

Día 1
Fuiste de excursión en jeep. ¡Qué guay!
Avanza tres casillas.

ISLA TROPICAL

2 **Busca el equivalente de estas frases en español en el juego.**
Find the Spanish equivalents of these sentences in the game.

1 You lost your passport.
2 You went horse riding.
3 You went to the theme park.
4 You went out in a jeep.
5 You met a cute boy/girl.
6 It rained.

Empareja el español con el inglés.
Match up the Spanish with the English

Ejemplo: **1** c

1 Me toca a mí.
2 Te toca a ti.
3 Pierde un turno.
4 Avanza una casilla.
5 Retrocede dos casillas.
6 ¡Qué rollo!
7 Tira el dado.

a Miss a turn.
b Go forward one square.
c It's my turn.
d Go back two squares.
e How annoying!
f Throw the die.
g It's your turn.

 Mira el juego del ejercicio 1. Escucha a estos niños mientras juegan.
Look at the game in exercise 1. Listen to these children playing.

¡He ganado! *I've won!*

 Con tu compañero/a, ¡juega al juego del ejercicio 1! El jugador más joven empieza.
With your partner, play the game in exercise 1! The younger player starts.

 Trabaja en un grupo de cuatro. Elige un lugar. ¿Qué se puede hacer allí? Busca cinco actividades en Internet.
Work in a group of four. Choose a place. What can you do there? Look for five activities on the internet.

Ejemplo: Tenerife: visitar volcanes, descansar, jugar al golf...

México

Tenerife

Costa Rica

 En tu grupo de cuatro, diseña un juego.
In your group of four, design a game.

○ Choose a board game layout.
○ Decide how many squares there will be and draw them.
  Make them big enough to write in.
○ Write a caption in Spanish for each square. Use your research from exercise 6.
  Use the **tú** form of the verb in the preterite. **(Fuiste... Visitaste... Comiste...)**
○ Include good luck and bad luck squares. **(Avanza tres casillas. Pierde un turno.)**
○ Add opinions and exclamations. **(¡Fue genial! ¡Qué lástima!)**

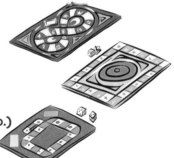

 Cambia tu juego con el de otro grupo. ¡Juega en español!
Swap your game with another group. Play in Spanish!

Ejemplo:
● **Te toca a ti. Tira el dado.**
■ Cinco. 'Fuiste de excursión. Avanza tres casillas.'

1 ¿Cómo se llaman estos programas de televisión en inglés?

1 Jorge el Curioso
2 Juego de Tronos
3 Bob Esponja
4 ¡Mira quién baila!
5 El Mentalista

Soaps are very popular in Spain. Spanish television channels show many Latin American and Spanish soaps and a fair number of American shows too.

2 ¿Cuál de estos programas de televisión **no** es un programa de música?

a La Voz
b Gran Hermano
c Operación Triunfo

3 ¿Cuál de estas redes sociales es de origen español?

a LinkedIn
b Tuenti
c Twitter

4 ¿Qué tipo de música **no** es de origen español o latinoamericano?

a el flamenco
b el rap
c la salsa

5 ¿Cuál de estos festivales de música tiene lugar en España?

a Festival Internacional de Benicàssim
b Glastonbury
c Rock Werchter

6 ¿Cuál de estas cantantes **no** es de origen español o latinoamericano?

a Paulina Rubio
b Buika
c Alicia Keys
d Malú

Mi vida, mi móvil

○ Saying what you use your phone for
○ Revising the present tense

1 Lee estas frases. Empareja el español con el inglés.

¿Qué haces con tu móvil?

Ejemplo: **1** e

1 Saco fotos.
2 Hablo por Skype.
3 Mando SMS.
4 Juego.
5 Leo mis SMS.
6 Descargo melodías o aplicaciones.
7 Chateo con mis amigos.
8 Comparto mis vídeos favoritos.
9 Veo vídeos o películas.

a I read my texts.
b I watch videos or films.
c I share my favourite videos.
d I play.
e I take photos.
f I download ringtones or apps.
g I send texts.
h I chat with my friends.
i I talk on Skype.

2 Escucha y comprueba tus respuestas.

Gramática

You use the present tense to talk about what usually happens.

There are three groups of regular verbs:

■ **-ar** verbs		■ **-er** verbs		■ **-ir** verbs	
hablar	to talk	**leer**	to read	**compartir**	to share
hablo	I talk	**leo**	I read	**comparto**	I share
hablas	you talk	**lees**	you read	**compartes**	you share
habla	he/she talks	**lee**	he/she reads	**comparte**	he/she shares
hablamos	we talk	**leemos**	we read	**compartimos**	we share
habláis	you (pl.) talk	**leéis**	you (pl.) read	**compartís**	you (pl.) share
hablan	they talk	**leen**	they read	**comparten**	they share

Some verbs are stem-changing:
jugar → to play   **juego** → I play

▷▷ p44

3 Escucha. Copia y completa la tabla con las letras del ejercicio 1. (1–5)

	actividad	frecuencia
1	f	✓

✓✓✓✓ **todos los días**   every day
✓✓✓ **dos o tres veces a la semana** three or four times a week
✓✓ **a veces**   sometimes
✓ **de vez en cuando**   from time to time
✗ **nunca**   never

4 Con tu compañero/a, juega a los barcos. Usa las frases 1–9 del ejercicio 1.

With your partner, play battleships. Use the sentences 1–9 from exercise 1.

- Copy the grid.
- Put a cross in four squares.
- Take turns to guess what your partner does and when.
- A correct guess wins another turn.

Ejemplo:
- **¿Juegas todos los días?**
- ■ **Sí, juego todos los días./No, no es correcto.**

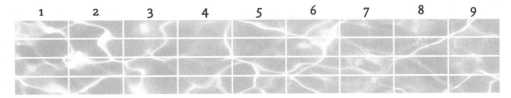

	1	2	3	4	5	6	7	8	9
dos veces a la semana									
todos los días									
a veces									
de vez en cuando									

In exercise 4, use the you form to ask the questions:
¿Chate**as**…? ¿Le**es**…? ¿Sac**as**…?
Use the I form to answer:
Chate**o**… Le**o**… Sac**o**…

Pronunciación

Do you remember the rule from Libro 1 about the difference in sound between the **c** in **c**ebra and the **c** in **c**amello? **c** is soft before **e** and **i** (sounds a bit like 'th') and hard before **a**, **o** and **u** (sounds like 'k'):
A ve**ce**s **co**mparto músi**ca**, pero nun**ca** sa**co** fotos.

5 Lee el texto. ¿Verdadero o falso? Escribe V o F.

Ejemplo: **1** F

Los jóvenes de hoy son nativos digitales. Con 15 años, nueve de cada diez niños tienen un móvil. Por género, las diferencias de uso de ordenador y de Internet no son muy significativas. Las diferencias son más evidentes en el caso de la disponibilidad del teléfono móvil: el 67,4 por ciento de las niñas de 10 a 15 años tiene uno, frente al 58,8 por ciento de los niños.

(Fuente: INE)

los jóvenes	*young people*
el género	*gender*
la disponibilidad	*ownership*

1 At the age of 15, 8 out of 10 young people have a mobile phone.
2 With regard to internet use, gender is not important.
3 Differences are more apparent with regard to mobile phone use.
4 More than 70 per cent of girls have a mobile phone.
5 Less than 60 per cent of boys have a mobile phone.

6 Escribe un mensaje para una cápsula del tiempo. ¿Qué haces con tu móvil?

7 Con tu compañero/a, lee tu mensaje para la cápsula del tiempo en voz alta.

Hoy es el <u>12</u> de <u>diciembre</u> del año…
Mi móvil es mi vida.
Todos los días…
Dos veces a la semana…
A veces… y de vez en cuando…
Pero nunca…

¿Qué tipo de música te gusta?

○ Saying what type of music you like
○ Giving a range of opinions

1 Escucha y escribe el nombre correcto. (1–8)

Ejemplo: **1** Adrián

> ¿Qué tipo de música te gusta?
> ¿Qué tipo de música escuchas?

Me gusta el rap.
Irene

Escucho rock.
Manuel

Escucho de todo.
Jorge

No me gusta el R'n'B.
Alba

No me gusta la música electrónica.
Sofía

Me gusta la música clásica.
Hugo

Escucho la música de Adele.
Victoria

Me gusta la música de Juan Luis Guerra.
Adrián

Escucho de todo. *I listen to everything.*

Gramática

When you give opinions with **me gusta**, make sure you use **el**, **la**, **los** or **las** before the noun. You may not use 'the' in English, but you <u>must</u> use **el**, **la**, **los** or **las** in Spanish.

Me gusta el rap.
I like rap.

Le encanta la música pop.
He/she loves pop music.

However, you don't need **el** or **la** if you are saying what <u>style</u> of music you <u>listen to</u>.

Escucho rap. I listen to rap.

2 Haz un sondeo en tu clase. Pregunta a <u>diez</u> personas.

● ¿Qué tipo de música te gusta/escuchas?
■ Me gusta.../Escucho...
● ¿Qué tipo de música no te gusta?
■ No me gusta...

nombre	le gusta…	no le gusta…
Sacha	el R'n'B	el rock

3 ¿Qué tipo de música te gusta? Termina las frases.

1  Me encanta…

2  Me gusta mucho…

3 También me gusta…

4 No me gusta…

5 No me gusta nada…

6 A veces escucho…

Lee los textos. Busca las frases en español en los textos.

Ejemplo: **1** Es mi cantante favorito.

triste   sad

Me encanta la música de Bruno Mars. Es mi cantante favorito. Escucho R'n'B porque me gusta el ritmo. ¡Es guay!

Mi grupo favorito es One Direction porque los chicos son muy guapos. Mi canción favorita es 'Gotta Be You'. Es muy triste.

Me gusta mucho la música del cantante colombiano Juanes. Mi canción favorita es 'Me Enamora' porque me encanta la melodía.

Me encanta la música de Taylor Swift porque me encanta la letra. No me gusta nada la música de Katy Perry. En mi opinión, es horrible.

1 He's my favourite singer.
2 because I like the rhythm
3 My favourite group is…
4 Mi favourite song is…
5 I love the tune.
6 I love the lyrics.

SKILLS

Giving opinions

○ Use a range of opinion-giving phrases to make your sentences more interesting:
♥♥♥   **Me encanta…**
✖✖   **No me gusta nada…**

○ Give a reason: **porque es guay/triste/horrible…**
porque me gusta el ritmo…

○ Make an exclamation: **¡Qué va! ¿Estás loco/a?**

Escucha y completa las frases en el diálogo.

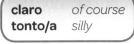
claro   of course
tonto/a   silly

Pedro: ¿Te gusta la música de Prince Royce?

Paula: Claro. Me **1**——— la música de Prince Royce. En mi **2**———, es guay. Mi **3**——— favorita es 'Eres Tú'. Me encantan la **4**——— y la **5**———. ¿A ti te gusta la música de Prince Royce?

Pedro: ¡Qué va! ¿Estás loca? No me gusta nada la **6**——— de Prince Royce. En mi opinión, es tonta.

Con tu compañero/a, haz <u>cuatro</u> diálogos.

Justin Bieber   Nicki Minaj   Katy Perry   Lady Gaga

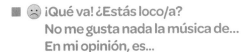
mi grupo favorito (masculine)
mi canción favorita (feminine)
mi cantante favorito (male)
mi cantante favorita (female)

● **¿Te gusta la música de…?**
■ ☺ Claro. Me encanta la música de…
En mi opinión, es…
Mi canción favorita es…
porque me encanta …

■ ☹ ¡Qué va! ¿Estás loco/a?
No me gusta nada la música de…
En mi opinión, es…

¿Qué tipo de música te gusta? Escribe un texto.

Me gusta/Me encanta… También escucho…
Mi grupo favorito/Mi cantante favorito/a es… porque es…
Mi canción favorita es… porque me gusta…
Pero no me gusta nada la música de… En mi opinión, es…

¡3! Me gustan las comedias

1 **Empareja los programas con las fotos correctas.**

Ejemplo: **1** d

a un programa de música
b un programa de deportes
c un reality
d un concurso
e un documental
f una comedia
g una serie policíaca
h una telenovela
i el telediario

2 **Escucha y comprueba tus respuestas.**

3 **Escucha. ¿Qué tipo de programas les gustan o no les gustan?**
Copia la tabla y escribe las letras correctas del ejercicio 1. (1–4)

	🙂	🙁
1	b	

4 **Con tu compañero/a pregunta, ¿qué tipo de programas te gustan? Añade una frase cada vez.**

Ejemplo:
● **Me gustan las comedias...**
■ Me gustan las comedias y los programas de deportes...
● **Me gustan las comedias, los programas de deportes y las telenovelas...**

Make sure you use the correct article and remember to change singular to plural.
Es **un** concurso. → Me gustan **los** concursos.
Es **una** comedia. → Me gustan **las** comedias.
Note: The word **programa** is masculine
(**un** programa de.../**los** programas de...).

5 **Escucha y lee. Escribe las respuestas para Julio y Nerea.**

Ejemplo: **1** Julio a, Nerea a

En mi opinión…

1
  a las comedias son más divertidas que los realitys.
  b los realitys son más divertidos que las comedias.

2
  a los documentales son más informativos que el telediario.
  b el telediario es más informativo que los documentales.

3
  a los programas de deportes son más interesantes que los programas de música.
  b los programas de música son más interesantes que los programas de deportes.

4
  a los concursos son más aburridos que las telenovelas.
  b las telenovelas son más aburridas que los concursos.

5
  a las series policíacas son más emocionantes que los realitys.
  b los realitys son más emocionantes que las series policíacas.

Gramática

When you want to compare two things, you use the comparative.

más + adjective + **que**…   more… than…

The adjective must agree with the noun.

Los realitys son **más** divertidos **que** los concursos.
Reality shows are funnier than game shows.

Las series policíacas son **más** aburridas **que** las telenovelas.
Police series are more boring than soaps.

>> p44

emocionante   *exciting*

6 **Lee la encuesta del ejercicio 5. Escribe tus respuestas.**
Read the quiz from exercise 5. Write your answers.

7 **Con tu compañero/a, compara tus respuestas.**

Ejemplo:
● **Número uno: en mi opinión, las comedias son más divertidas que los realitys. ¿Estás de acuerdo?**
■ 😊 **Sí, estoy de acuerdo. /** 🙁 **¡Ni hablar! No estoy de acuerdo. En mi opinión…**

8 **Escribe tu opinión para un foro sobre televisión.**
Write your opinion for a chatroom conversation about television.

Mi programa favorito se llama…
Es un/una…
También me gustan los/las… porque son…
Pero no me gustan nada los/las… porque son…
En mi opinión, los/las… son más… que los/las…

El telediario (the news) is always singular in Spanish. For example: Me gust**a el** telediario porque **es** informativo.

¿Qué hiciste ayer?

1 Escucha y lee.

¿Qué hiciste ayer?

ayer	*yesterday*
un poco más tarde	*a little later*

Ayer por la mañana **hice** kárate.

Luego **monté** en bici.

Por la tarde **jugué** en línea con mis amigos.

Y un poco más tarde **vi** una película. ¡Qué divertido! **Alejandro**

Ayer por la mañana **hice** gimnasia.

Luego **hablé** por Skype con mi abuela.

Por la tarde **hice** los deberes y **bailé** en mi cuarto.

Un poco más tarde **salí** con mis amigas. ¡Qué guay! **Lucía**

2 Lee los textos otra vez. Busca las frases en español.

Ejemplo: **1** Salí con mis amigas.
1. I went out with my friends.
2. I played online with my friends.
3. I talked on Skype.
4. I went cycling.
5. I did gymnastics.
6. I watched a film.
7. I did my homework and danced in my room.
8. I did karate.

Gramática

The verb **hacer** (to do/to make) is irregular. Learn its preterite form by heart.

hice	I did
hiciste	you did
hizo	he/she did
hicimos	we did
hicisteis	you (plural) did
hicieron	they did

3 Con tu compañero/a, haz <u>dos</u> diálogos.

Ejemplo:
- ¿Qué hiciste ayer?
- Ayer por la mañana bailé. Luego...

ayer por la mañana
luego
por la tarde
un poco más tarde

Lee los textos. ¿Verdadero o falso? Escribe V o F.

¿Qué hiciste ayer?

Normalmente no monto en bici porque no me gusta, pero ayer salí con un amigo en bici y fue guay.
Rafa

Juego en línea todos los días. Es mi pasión. Pero ayer mi madre se enfadó ☹ porque jugué tres horas… ☺
Daniela

Veo muchas películas en Internet. Me gustan las comedias porque son divertidas, pero ayer vi una peli estupenda – *Misión: Imposible*.
Lola

Normalmente hago los deberes después del cole, pero ayer fui al cine, así que no hice los deberes. ☹
Isham

Ejemplo: **1** F
1 Rafa normally goes cycling a lot.
2 Daniela plays online every day.
3 Yesterday she played for three hours.
4 Lola never watches films online.
5 Normally Isham goes to the cinema after school.
6 He didn't do his homework yesterday.

> **se enfadó** *he/she got angry*

> Time markers can sometimes help you to work out whether someone is referring to the <u>present</u> or the <u>past</u>. For example: **normalmente** (present); **ayer** (past).

Escucha la canción. Completa la canción con las palabras del cuadro y luego canta.

Ejemplo: **1** juego

Me encanta el voleibol.
Me encanta el voleibol… el voleibol.
1——— cuando puedo. x2
Ayer **2**——— dos horas. x3

Me encantan las películas.
Me encantan las películas… las películas.
Cuando **3**——— películas, estoy feliz. x2
Ayer **4**——— películas. x3

Me gusta hablar con mis amigos.
Me gusta hablar con mis amigos… con mis amigos.
5——— con mis amigos por la tarde. x2
Ayer **6**——— con mis amigos. x3

No me gustan los deberes.
7——— muchos deberes… muchos deberes.
Todos los días. x2
Ayer **8**——— los deberes. x3

Gramática

You use:
- the **present tense** to talk about what **usually happens**.
- the **preterite** to talk about **past events**.

All types of verbs (regular **-ar**, **-er** and **-ir** verbs, stem-changing verbs and irregular verbs) change their endings to show whether they are in the present or the preterite.

Present	**Preterite**
monto, juego, veo, salgo, hago, voy	monté, jugué, vi, salí, hice, fui

>> **p45**

vi	hablo
juego	hablé
jugué	hago
veo	hice

> **cuando puedo** *when I can*
> **estoy feliz** *I am happy*

Escribe una tira cómica sobre un día diferente.
Write a comic strip about an unusual day.

- Write about what you <u>normally</u> do (using the present tense).
- Then write about what you did <u>yesterday</u> that was different (using the preterite tense).
- Include sequencers. (**luego, un poco más tarde**)
- Add an exclamation. (**¡Qué guay!**)

¡5! Mi guía

READING SKILLS

1 Lee el texto y contesta a las preguntas en inglés.

a What type of text is this? How can you tell?
b Name three kinds of information the text gives you.
c How many programme titles can you work out?

> **SKILLS**
> ### Identifying the context
> If you can work out what type of text you are looking at, it can help you predict what type of information will be in it. The layout and any pictures can also give you clues.

TVE 1	La 2	Antena 3	AXN
14:00			
14:00 Telediario 1	13:50 Documental		14:00 Mentes criminales
	14:35 Saber y ganar	14:30 Los Simpson	
15:00			14:50 Mentes criminales
15:05 El tiempo			
15:25 Los pingüinos del Sr. Poper		15:30 X-Men: primera generación	15:40 C.S.I.
16:00	15:45 Atrapa un millón		
	16:35 Tenemos chico nuevo en la oficina		
17:00		17:00 Deportes	
			17:50 Invasión jurásica

> **SKILLS**
> ### Looking for cognates
> To help you understand an authentic text, look for:
> **Cognates** – words that are spelled the same in Spanish and English (for example, **invasión**).
> **Near-cognates** – words that are not exactly the same but similar (for example, **oficina**).

2 Busca las palabras en español en el texto del ejercicio 1.

1 a million
2 sports
3 penguins
4 the weather
5 criminal minds
6 first generation

3 Con tu compañero/a, elige <u>seis</u> programas del ejercicio 1 y decide qué tipo de programas son.

Ejemplo:
● **En tu opinión, _Saber y ganar_, ¿qué tipo de programa es?**
■ **En mi opinión, es <u>un concurso</u>. ¿Estás de acuerdo?**
● **Sí, estoy de acuerdo./No, no estoy de acuerdo.**

4 Mira la guía de televisión. Copia y completa la tabla en inglés.

SKILLS

Getting the gist

You don't need to understand every word! Focus on what you need to know to do the task. Look for words you recognise or can work out.

Programas que te pueden interesar

Canal: Antena 3
Fecha: 29/10 19:45

Atrapa un millón
Una pareja de concursantes juega para ganar un millón de euros respondiendo a ocho preguntas sencillas sobre actualidad y cultura general.
entretenimiento

Canal: Cuatro
Fecha: 29/10 20:15

Deportes cuatro
Toda la actualidad deportiva con un análisis de los titulares del día de las principales competiciones.
deportes

Canal: La 1
Fecha: 29/10 22:15

Canal: La 2
Fecha: 29/10 18:00

Grandes documentales
Se ofrecen diferentes documentales acerca de la madre naturaleza.
documentales

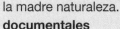

El conde de Monte Cristo
Basada en el clásico de Alejandro Dumas, narra la historia de Edmond Dantes, todo un héroe de aventura y símbolo de coraje.
series

programme	channel	date and time	programme type
Atrapa un millón	Antena 3	29/10 19:45	entertainment

5 Lee el texto otra vez. Elige la respuesta correcta.

1 The documentaries on La 2 are about:
a history
b nature
c geography

2 The contestants in *Catch a million* have to answer how many simple questions?
a eight
b ten
c six

3 *Sport on 4* analyses:
a regional competitions
b international competitions
c major competitions

4 *The Count of Monte Cristo* is a tale of:
a avalanches
b adventure and courage
c open-heart surgery

6 Copia y completa la tabla. Escribe al menos <u>dos</u> palabras para cada programa.
Copy and complete the table. Write at least <u>two</u> words for each programme.

I worked these new words out…		
because they are cognates/near-cognates	by looking at the context	by looking at the questions from exercise 5 for clues
historia		

Mi vida, tu vida

- Learning about young people's lives
- Using two tenses in the he/she form

① Escucha y lee.

Pepe tiene quince años y vive en Lima, en Perú, donde el fútbol es muy popular. Generalmente juega dos o tres veces a la semana. El fútbol es su pasión.

La semana pasada Pepe jugó un partido y marcó dos goles.

Le gusta mucho la música electrónica y también le gusta la música andina. La semana pasada fue a un concierto de su cantante favorito, Jean Paul Strauss. Fue estupendo.

Su programa de televisión favorito se llama *TV Perú deportes*.

Con su móvil, Pepe saca fotos y descarga música. No juega mucho.

Blanca vive en Sevilla, en España, donde el flamenco es muy popular.

Hace tres años hizo un curso intensivo de cante flamenco y le encantó. El verano pasado Blanca ganó un concurso de

flamenco. Fue emocionante. Ahora tiene clases dos veces a la semana.

Su cantante favorita es Buika. Le encantan la letra y la melodía de su música.

Su programa de televisión favorito es *La Voz*.

Con su móvil manda SMS a sus amigas y comparte vídeos. Nunca habla por Skype.

andino/a	*Andean, from the Andes*
hace tres años	*three years ago*
ahora	*now*

Zona Cultura

Peru is the third largest Spanish-speaking country in Latin America. Jean Paul Strauss is a Peruvian singer who sings Andean music – traditional folk music that often uses bamboo pipes.

Seville is the capital of Andalusia, in the south of Spain. Flamenco music, song and dance come from this region. Buika is a popular singer who mixes flamenco with soul and jazz.

ANDALUCÍA
Sevilla

② Lee el texto otra vez. Copia y completa los perfiles de Pepe y Blanca en inglés.

Name:

Lives in:

Passion:

Favourite singer:

Favourite TV programme:

Uses phone for:

③ Traduce las frases del texto al inglés.

Ejemplo: **1** He played a match.

1 Jugó un partido.
2 Marcó dos goles.
3 Fue a un concierto.
4 Hizo un curso.
5 Le encantó.
6 Ganó un concurso.

Gramática

The he/she/it (third person singular) form of different verbs works like this in the present and the preterite:

type of verb	present (he/she/it)	preterite (he/she/it)
-ar	**gana** (wins) **juega** (plays)	**ganó** (won) **jugó** (played)
-er	**come** (eats)	**comió** (ate)
-ir	**sale** (goes out)	**salió** (went out)
Irregular	**hace** (does/makes) **es** (is) **va** (goes)	**hizo** (did/made) **fue** (was) **fue** (went)

SKILLS

Making everything match up

When you use the he/she/it form, you often need to change other elements of the sentence:

me gusta (I like) →
le gusta (he/she likes)

mi programa favorito (my favourite programme) →
su programa favorito (his/her favourite programme)

mis amigos (my friends) →
sus amigos (his/her friends)

4 **Escucha y elige la palabra correcta para completar las frases. (1–6)**

1 Arnau vive en *Badalona/Barcelona*, donde el tenis es muy popular.
2 Hace *cinco/cuatro* años hizo un curso intensivo de tenis y le encantó.
3 El verano pasado ganó un campeonato *regional/nacional*.
4 Ahora juega *cuatro veces a la semana/todos los días*.
5 Su programa de televisión favorito es *un concurso/una comedia*. Se llama *Saber y ganar*.
6 Con su móvil habla con sus amigos y saca fotos. A veces comparte *música/vídeos*.

> **el campeonato** *championship*

5 **Con tu compañero/a, haz una presentación sobre Marta o Miguel. Utiliza el ejercicio 4 como modelo.**

Ejemplo: Marta vive en...

> **hacer surf** *to go surfing*

Nombre: Marta
Vive en: San Sebastián
Hace tres años: curso intensivo de surf
Verano pasado: campeonato nacional
Ahora: surf todos los días
Programa favorito: *La ley y el orden*
Móvil: Skype, música

Nombre: Miguel
Vive en: Toledo
Hace cuatro años: curso de baile hiphop
Verano pasado: campeonato regional
Ahora: dos o tres veces a la semana
Programa favorito: *¡Mira quién baila!*
Móvil: SMS, aplicaciones

> Use your knowledge of Spanish sounds to work out how to pronounce the Spanish TV programme titles.

6 **Escribe una descripción de Álvaro.**

Ejemplo: Álvaro vive en Granada, en España, donde el esquí es muy popular...

hace cinco años

curso de esquí

> **hacer esquí** *to go skiing*

CAMPEONATO REGIONAL

¡RESUMEN! I can…

- ● ask someone what they use their phone for
- ● say what I use my phone for
- ▪ use the present tense of regular verbs

- S use expressions of frequency

¿Qué haces con tu móvil?
Saco fotos. Mando SMS.
Juego. Leo mis SMS.
   Comparto mis vídeos favoritos.
Todos los días chateo con mis amigos.

- ● ask someone what type of music they like
- ● say what type of music I like and dislike
- ● say what type of music I listen to
- S give a range of opinions
- S give reasons

¿Qué tipo de música te gusta?
Me gusta la música clásica. No me gusta el rap.
Escucho la música de Malú. Escucho rock.
Me encanta el R'n'B. No me gusta nada el rock.
Mi canción favorita es… porque me encanta la letra.

- ● ask someone what type of TV programmes they like
- ● say what type of TV programmes I like
- ▪ use articles correctly
- ▪ use the comparative
- S agree or disagree

¿Qué tipo de programas te gustan?

Me gustan las telenovelas.
Es una comedia. Me gustan las comedias.
Los realitys son más divertidos que los concursos.
Estoy de acuerdo./¡Ni hablar! No estoy de acuerdo.

- ● ask someone what they did yesterday
- ● say what I did yesterday
- ▪ use the preterite of **hacer**
- ▪ use the present and the preterite
- S use time expressions

¿Qué hiciste ayer?
Salí con mis amigas. Vi una película.
Hice los deberes.
Normalmente juego al fútbol. Ayer jugué dos horas.
Por la tarde hice kárate. Luego monté en bici.

- S tackle an authentic text by:
   – using the layout and pictures
   – looking for words I know or can work out
   – not trying to understand everything
   – focusing on what I need to understand to do the task

- ▪ use the he/she form in the present and preterite
- S change other elements of the sentence when using the he/she form

juega, jugó, va, fue
le gusta, sus amigos

Escucha a Julia y a Laura. Copia y completa las <u>dos</u> primeras columnas de la tabla para cada persona. (1–8)
Listen to Julia and Laura. Copy and complete the first <u>two</u> columns of the table for each person.

name	activity	frequency
Julia	e	
	…	

Escucha otra vez. Completa la tercera columna de la tabla. Escribe los números correctos al lado de las letras.
Listen again. Complete the third column of the table. Write the correct numbers next to the letters.

name	activity	frequency
Julia	e	2
	…	…

1 from time to time

2 every day

3 two or three times a week

4 sometimes

Con tu compañero/a, contesta a estas preguntas.

¿Qué haces con tu móvil?

¿Qué tipo de música no te gusta y por qué?

¿Qué tipo de música te gusta y por qué?

¿Qué tipo de programas de televisión te gustan?

Lee el texto. Completa las frases en inglés.

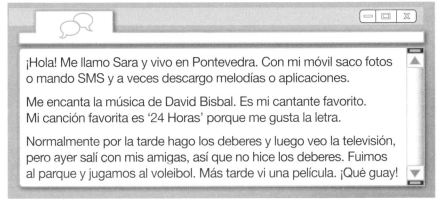

¡Hola! Me llamo Sara y vivo en Pontevedra. Con mi móvil saco fotos o mando SMS y a veces descargo melodías o aplicaciones.

Me encanta la música de David Bisbal. Es mi cantante favorito. Mi canción favorita es '24 Horas' porque me gusta la letra.

Normalmente por la tarde hago los deberes y luego veo la televisión, pero ayer salí con mis amigas, así que no hice los deberes. Fuimos al parque y jugamos al voleibol. Más tarde vi una película. ¡Qué guay!

1 With her phone, Sara ⸺ or ⸺ and sometimes ⸺.
2 '24 Hours' is her favourite song because ⸺.
3 In the afternoon, she normally ⸺ and then ⸺.
4 But yesterday she ⸺.
5 They went to the ⸺ and ⸺.
6 Later she ⸺.

Escribe un texto como el texto de Sara.

- Say what you use your phone for.
- Say who your favourite singer is.
- Say what your favourite song is and why.
- Say what you normally do in the afternoon.
- Say what you did yesterday afternoon.
- Use an exclamation.

¡GRAMÁTICA!

Use the present tense to talk about what usually happens. There are three groups of regular verbs. Look them up on page 130.

Some verbs are stem-changing: ju**g**ar → to play   j**ue**go → I play

1 **Copy out the sentences, choosing the correct verb form shown in brackets, then translate the sentences into English.**

1 *Descargo/descargas* melodías. (I)

2 *Hablas/Hablamos* por Skype a veces. (we)

3 *Mandas/Mandan* SMS. (they)

4 *Vivís/Viven* en España. (you pl)

2 **Write out these sentences in Spanish, using the verb form shown in brackets.**

Example: **1** Sacas fotos todos los días.

1 every day. (you)

2 sometimes. (he)

3 from time to time. (we)

4 two or three times a week. (I)

5 every day. (they)

6 sometimes. (you pl)

When you want to compare two things, you use the comparative.
más + adjective + **que**...   more... than...

The adjective must agree with the noun.

Los documentales son **más** informativ**os que** los realitys.
Documentaries are more informative than reality shows.

Las telenovelas son **más** divertid**as que** los concursos.
Soaps are funnier than game shows.

3 **Write out the following sentences in Spanish.**

Example: **1** Las comedias son más divertidas que los concursos.

1 + divertidas

2 + interesantes

3 + emocionantes

4 + divertidos

4 **Translate the following sentences into Spanish.**

1 Game shows are more exciting than documentaries.

2 The news is more informative than comedies.

3 Electronic music is more interesting than rap.

4 English is more boring than Spanish.

Using the present tense and the preterite together

Use the present tense to say what you <u>normally</u> do.
Hago los deberes todos los días.   I do my homework every day.

Use the preterite to say what you <u>did</u>.
Ayer **hice** los deberes.   Yesterday I did my homework.

Time expressions (including **normalmente** and **ayer**) can often help
you work out which tense to use.

5 **Choose the correct verb each time.**

1 *Vi/Veo* vídeos en Internet todos los sábados. Ayer *vi/veo* un documental
muy interesante: *Planeta helado*.

2 Normalmente *juego/jugué* en línea todos los días, pero ayer *fui/voy* al cine
con mis amigos. ¡*Fue/es* guay!

3 Ayer *hice/hago* judo, pero normalmente no *hago/hice* artes marciales.

4 *Chateo/Chateé* con mis amigas todos los días, pero el fin de semana pasado
vamos/fuimos al restaurante y *fue/es* genial.

5 Normalmente *voy/fui* de vacaciones con mi familia, pero el verano pasado
voy/fui de vacaciones con mi clase.

6 **Copy the table and fill in the gaps.**

infinitive	present tense	preterite tense
escuchar (to listen)	escucho (I listen)	**1** ═══ (I listened)
bailar (to dance)	bailo (I dance)	**2** ═══ (I danced)
ver (to watch)	**3** ═══ (I watch)	vi (I watched)
jugar (to play)	juego (I play)	**4** ═══ (I played)
hacer (to do)	**5** ═══ (I do)	**6** ═══ (I did)
ir (to go)	**7** ═══ (I go)	**8** ═══ (I went)

7 **Write out sentences in Spanish.**

Example:

1 Normalmente después del insti
hago los deberes, pero ayer
vi una película.

**Normalmente
después del insti… ,**   **pero ayer…**

¿Qué haces con tu móvil?   What do you do with your mobile?

Chateo con mis amigos.	I chat with my friends.	Juego.	I play.
Comparto mis vídeos favoritos.	I share my favourite videos.	Leo mis SMS.	I read my texts.
Descargo melodías o aplicaciones.	I download ringtones or apps.	Mando SMS.	I send texts.
Hablo por Skype.	I talk on Skype.	Saco fotos.	I take photos.
		Veo vídeos o películas.	I watch videos or films.

¿Con qué frecuencia?   How often?

todos los días	every day	a veces	sometimes
dos o tres veces a la semana	two or three times a week	de vez en cuando	from time to time
		nunca	never

¿Qué tipo de música te gusta?   What type of music do you like?

el rap	rap	¿Qué tipo de música escuchas?	What type of music do you listen to?
el R'n'B	R'n'B	Escucho rap.	I listen to rap.
el rock	rock	Escucho la música de…	I listen to …'s music.
la música clásica	classical music	Escucho de todo.	I listen to everything.
la música electrónica	electronic music		
la música pop	pop music		

Opiniones   Opinions

Me gusta (mucho)…	I like… (very much)	¿Te gusta la música de…?	Do you like…'s music?
Me encanta…	I love…	Me gusta la música de…	I like…'s music.
No me gusta (nada)…	I don't like… (at all)	mi canción favorita	my favourite song
la letra	the lyrics	mi cantante favorito/a	my favourite singer
la melodía	the tune	mi grupo favorito	my favourite group
el ritmo	the rhythm	En mi opinión…	In my opinion…
porque es guay/triste/ horrible	because it is cool/sad/ terrible		

Me gustan las comedias   I like comedies

un programa de música	a music programme	el telediario	the news
un programa de deportes	a sports programme	más… que…	more… than…
un concurso	a game show	divertido/a	funny
un documental	a documentary	informativo/a	informative
un reality	a reality show	interesante	interesting
una comedia	a comedy	aburrido/a	boring
una serie policíaca	a police series	emocionante	exciting
una telenovela	a soap opera		

¿Qué hiciste ayer? What did you do yesterday?

Bailé en mi cuarto.	I danced in my room.	Vi una película.	I watched a film.
Fui al cine.	I went to the cinema.	Salí con mis amigos/as.	I went out with my friends.
Hablé por Skype.	I talked on Skype.	No hice los deberes.	I didn't do my homework.
Hice gimnasia.	I did gymnastics.	ayer	yesterday
Hice kárate.	I did karate.	luego	later, then
Jugué en línea con mis amigos/as.	I played online with my friends.	por la mañana	in the morning
Jugué tres horas.	I played for three hours.	por la tarde	in the afternoon
Monté en bici.	I rode my bike.	un poco más tarde	a bit later

Palabras muy frecuentes High-frequency words

así que	so (that)	nunca	never
más... que...	more... than...	o	or
mi/mis	my	porque	because
su/sus	his/her	también	also, too
normalmente	normally	y	and
no	no/not		

Estrategia 2
The gender of nouns

You can often work out whether a noun is masculine or feminine by looking at the ending of the word:

Most nouns ending in **-o**, **-or** and **-ón** are masculine.
Most nouns ending in **-a**, **-dad**, **-ión** and **-ción** are feminine.

But be careful! There are exceptions, for example:
el problema, **la** foto

To check, use a dictionary: look for the abbreviations *nm* (masculine noun) and *nf* (feminine noun).

Can you work out the gender of these nouns from Module 2 without using a dictionary?

- actividad
- concurso
- televisión
- música

- canción
- amigo
- aplicación
- millón

 **¡PROYECTO!** ZONA

¡Tiene mucho talento!

○ Learning about Hispanic singers
○ Writing a profile of a singer

1 Empareja el inglés con el español. Utiliza el minidiccionario si es necesario.

Ejemplo: **1** g

1	ficha del artista
2	nombre
3	fecha de nacimiento
4	talentos
5	carrera
6	discos
7	premios
8	giras

a	tours
b	date of birth
c	records
d	career
e	awards/prizes
f	talents
g	artist's profile
h	name

2 Escucha y escribe los datos en el orden correcto.

Ejemplo: **1** c

 Ficha del artista

1 Nombre
2 Fecha de nacimiento
3 Talentos
4 Carrera
5 Discos
6 Premios
7 Giras

a Su single 'Me Enamora' fue número uno en 14 países.
b Toca la guitarra. También canta.
c Se llama Juanes.
d En 2012 Juanes fue de gira con Unplugged.
e Nació el 9 de agosto en Medellín, Colombia.
f En 2009 y 2013 Juanes ganó un Grammy, el premio más importante de la música.
g Comenzó su carrera musical en 1987.

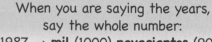

When you are saying the years, say the whole number:
1987 → **mil** (1000) **novecientos** (900) **ochenta y siete** (87)
2012 → **dos mil** (2000) **doce** (12)

3 Lee el texto otra vez. Busca las frases en español.

1 He went on tour...
2 He plays the guitar. He also sings.
3 He began his musical career in...
4 He was born on... in...
5 He won a Grammy.
6 His single... was number one in 14 countries.

4 **Escribe estas frases sobre la cantante Malú correctamente. Luego, escribe la traducción en inglés.**

1 15 el de Nació Madrid marzo en.

2 carrera su Comenzó 1998 en.

3 y flamenco Canta pop.

4 *Guerra Fría* fue en número Su España uno álbum.

5 ganó En el de 2011 canción la premio mejor.

6 con 2011 y 2012 de En gira *Guerra Fría* fue.

Malú

> **la mejor canción** *the best song*

 5 **Escucha. Copia y completa las frases en inglés. (1–6)**

1 Name: His name is —— Bustamante.

2 Date of birth: He was born on 25th ——, in ——.

3 Talents: He is a ——.

4 Career: He started his musical career in ——.

5 Beginnings: He —— in *Operación Triunfo*.

6 Tours: In —— he went on tour with *Mío* in Spain.

Zona Cultura

Operación Triunfo (*OT*) is a Spanish TV talent show, similar to *The X Factor*. Past winners of *OT* include Nahuel Sachak and Virginia Maestro. Another popular show is *La Voz*, the Spanish version of *The Voice*. As well as being a successful singer, Malú has appeared on *La Voz* as a coach.

 6 **Ahora elige un cantante y escribe una ficha del artista.**
Now choose a singer and write an artist's profile.

○ Imagine you are the manager of a well-known singer and you want to 'sell' him or her to the Spanish market.
○ Do some research and write a profile about him or her for a Spanish music magazine.

Ejemplo: Se llama <u>Justin Bieber</u>. Nació <u>el 1 de marzo de 1994</u>. <u>Canta pop</u> y toca…

 7 **Presenta tu ficha del artista a tu clase.**

 Check your pronunciation is correct. Practise out loud, until you feel confident. Make sure you are speaking loud enough and not too fast or too slowly.

¡MODULE 3! ¡A comer!

 1 ¿Qué desayuno **no** es un desayuno típico en España?

a chocolate con churros

b pan con tomate

c huevo frito, beicon, unas tostadas

 2 Con postre, pan y bebida, el menú del día cuesta:

Zona Cultura

The **menú del día** is a daily specials menu that is typically offered in restaurants at lunchtime in Spain. The **menú del día** is often very economical – it usually includes a starter, main course, side dish, dessert and a drink for a fixed price.

a ocho euros
b dieciocho euros
c diez euros

MENU DEL DIA

-PRIMEROS:
-ENSALADA MIXTA
-COLIFLOR CON PATATAS.
-GASPACHO
-ESTOFADO DE LENTEJAS
-FUSILLI CARBONARA.
-ARROZ NEGRO
-SEGUNDOS:
-BISTEC PLANCHA
-FILETE DE LOMO TROPICAL
-PAJEL AL HORNO
-TORTILLA ESPAÑOLA
-ENTRECOTGRILL (SUPL 4,8)
POSTRE, PAN
Y BEBIDA 8,0€
INCLUIDO.

 3 En España, la gente cena...

a a las seis de la tarde
b a las siete de la tarde
c a las nueve de la noche o más tarde

4 ¿De dónde son estos platos españoles?

1 paella valenciana

2 fabada asturiana

3 pescaíto frito

4 pulpo a la gallega

GALICIA ASTURIAS

VALENCIA

A N D A L U C Í A

5 En Madrid hay...

a un museo de la tortilla española.
b un museo del jamón.
c un museo de las gambas.

6 Empareja los países hispanohablantes con su comida típica.

México

a nachos
b sangría
c guacamole
d paella

España

The staple foods of Latin America are corn, beans and rice, but in cinemas in Colombia toasted leafcutter ants (which taste like bacon) are sold like popcorn! In Peru, coconut-palm grubs are a delicacy. When roasted they have a barbecue pork flavour. Would you like to try them?

¿Qué te gusta comer?

○ Saying what food you like
○ Using a wider range of opinions

Escucha. ¿Quién habla? Escribe el nombre correcto. (1–6)

Ejemplo: **1** Pablo

¿Qué te gusta comer?
¿Qué te gusta beber?

¿Qué no te gusta comer?
¿Qué no te gusta beber?

El **agua** – agua is a feminine word, but takes **el** because it begins with a stressed 'a'.

Me gusta el arroz y me gustan los huevos.
Martina

No me gusta la leche. ¡Puaj! Prefiero el agua.
Sergio

Me gusta mucho la carne y me encantan las hamburguesas.
Pablo

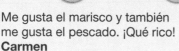

Me gusta el marisco y también me gusta el pescado. ¡Qué rico!
Carmen

Me gustan los caramelos. ¡Ñam, ñam! Odio el queso. ¡No, gracias!
Daniel

No me gusta nada la fruta y odio las verduras. ¡Qué asco!
Marta

¿Con quién estás de acuerdo? Con tu compañero/a, da tu opinión.
Who do you agree with? With your partner, give your opinion.

Ejemplo:
● **Estoy de acuerdo con Pablo. Me gusta la carne. ¡Ñam, ñam! ¿Y tú?**
■ **No estoy de acuerdo con Pablo. No me gusta nada la carne. ¡Puaj!**

Pronunciación

The letter **ñ** (as in **¡ñam, ñam!**) is pronounced 'n-y' as in 'canyon': 'nyam, nyam'.

Escucha. Copia y completa la tabla. (1–4)

1 Hugo   **2** Rosa   **3** Gabriel   **4** Inés

	☺	☹
Hugo	pescado…	

4 En tu clase, haz un sondeo. Pregunta a <u>diez</u> personas. Apunta las respuestas.

● ¿Qué te gusta <u>comer</u>?
■ Me gusta(n)... y también me gusta(n)...
● ¿Qué no te gusta <u>beber</u>?
■ No me gusta(n) nada... Odio...

 When you use **me gusta(n)** make sure you use **el, la, los** or **las** before the noun. You don't use 'the' in English, but you <u>must</u> do so in Spanish.

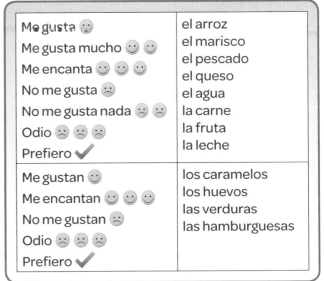

Me gusta ☺	el arroz
Me gusta mucho ☺ ☺	el marisco
Me encanta ☺ ☺ ☺	el pescado
No me gusta ☹	el queso
No me gusta nada ☹ ☹	el agua
Odio ☹ ☹ ☹	la carne
Prefiero ✔	la fruta
	la leche
Me gustan ☺	los caramelos
Me encantan ☺ ☺ ☺	los huevos
No me gustan ☹	las verduras
Odio ☹ ☹ ☹	las hamburguesas
Prefiero ✔	

 5 Lee los textos. Empareja las fotos con las descripciones.

Ejemplo: **1** e

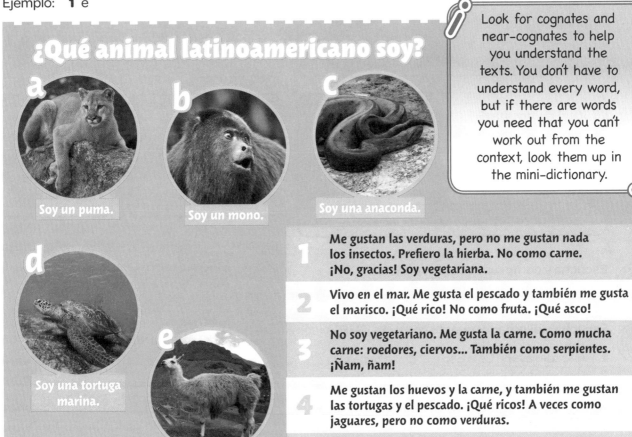

¿Qué animal latinoamericano soy?

a Soy un puma.

b Soy un mono.

c Soy una anaconda.

d Soy una tortuga marina.

e Soy una llama.

Look for cognates and near-cognates to help you understand the texts. You don't have to understand every word, but if there are words you need that you can't work out from the context, look them up in the mini-dictionary.

1 Me gustan las verduras, pero no me gustan nada los insectos. Prefiero la hierba. No como carne. ¡No, gracias! Soy vegetariana.

2 Vivo en el mar. Me gusta el pescado y también me gusta el marisco. ¡Qué rico! No como fruta. ¡Qué asco!

3 No soy vegetariano. Me gusta la carne. Como mucha carne: roedores, ciervos... También como serpientes. ¡Ñam, ñam!

4 Me gustan los huevos y la carne, y también me gustan las tortugas y el pescado. ¡Qué ricos! A veces como jaguares, pero no como verduras.

5 Me gusta la fruta. A veces como hojas, pero prefiero las flores. No como carne.

 6 Elige <u>dos</u> animales. Escribe un diálogo entre ellos.

● ¿Qué te gusta comer y beber?
■ Me gusta(n)... y también me gusta(n)...
● ¿Qué no te gusta comer?
■ No me gusta(n)... Prefiero...

 panda   tigre   zorro   camello

¡2! ¿Qué desayunas?

1 **LEER**

Mira las fotos. Escribe la(s) palabra(s) correcta(s) para cada número.

Ejemplo: **1** Cola Cao

¿Qué desayunas?		
Desayuno...		
cereales	yogur	café
churros	Cola Cao™	zumo de naranja
tostadas	té	
No desayuno nada.		

¿Qué comes?
Como...
paella
un bocadillo
fruta

¿Qué cenas?
Ceno...
pollo con ensalada
pescado con arroz
patatas fritas

2 **ESCUCHAR**

Escucha y comprueba tus respuestas.

3 **ESCUCHAR**

Escucha y elige la respuesta correcta. (1–6)

1 Aitor desayuna Cola Cao y *churros/cereales*.
2 Desayuna *a las siete/a las siete y media*.
3 Aitor come *a las dos/a las dos y media*.
4 Come *pescado con arroz/pescado frito*.
5 Aitor cena *a las nueve y media/a las diez y media*.
6 Cena *pollo con ensalada/carne asada*.

> There are different verbs in Spanish for different meals:
> **desayunar** to have breakfast
> **comer** to have lunch
> **cenar** to have dinner
>
> **Ceno pollo con ensalada.**
> I have chicken with salad for dinner.
>
> **Comer** is also the general verb for 'to eat'.

4 **HABLAR**

Con tu compañero/a, haz un diálogo.

Ejemplo:
● **¿Qué desayunas? ¿A qué hora?**
■ **Desayuno** <u>tostadas y café</u>.
  Desayuno <u>a las siete y media</u>.
● **¿Qué comes? ¿A qué hora?**
■ **Como...**

> ¿A qué hora desayunas/comes/cenas?

> Desayuno/como/ceno a las siete y media/
> a las dos/a las nueve.

Lee los textos. Copia y completa la tabla en inglés.

	breakfast ? Eats/Drinks …	lunch ? Eats/Drinks …	dinner ? Eats/Drinks …	yesterday
Roberto	7 am toast, 3 eggs, ham, tomato, tea (sometimes)			

Desayuno a las seis de la mañana y luego monto en bici. Desayuno cereales. Como a la una. Soy vegetariano y como queso y fruta. Ceno a las ocho y media. Mi plato favorito es la paella. Ayer comí una paella vegetariana deliciosa. Nunca como caramelos. No me gustan nada. Prefiero fruta o ensalada.

Óscar

Todos los días desayuno a las siete. Desayuno una tostada con tres huevos, jamón y tomate. Nunca bebo café, pero a veces bebo té. Como a las dos y normalmente como dos filetes con verduras y arroz, pero ayer comí tres. Me gusta mucho la carne. ¡Ñam, ñam! Ceno a las nueve. Ceno cuatro hamburguesas con ensalada. Es mi plato favorito.

Roberto

Normalmente desayuno a las nueve y desayuno yogur con fruta fresca. Como a la una, pero no como mucho… una ensalada. Ayer, por ejemplo, comí solamente una ensalada de tomate. Ceno sopa a las ocho menos cuarto. Nunca como chocolate. ¡Ay, ay, ay! ¡Qué horror! ¡No, gracias!

Kloe

Gramática

To make a sentence negative, put **no** before the verb:
No como carne.
I don't eat meat.

Nunca means 'never'. It usually comes before the verb:
Nunca ceno.
I never eat dinner.

No… nada means 'nothing' or 'not anything'. It makes a 'sandwich' around the verb:
No desayuno **nada**.
I don't have anything for breakfast.

▷▷ p68

Escucha el rap. Elige la respuesta correcta, y luego canta.

Ayer desayuné a las seis de la mañana.
Cereales, **1** *yogur/tostadas* y zumo de naranja.

Más tarde comí a las dos en punto.
Pollo con **2** *arroz/patatas*. ¡Madre mía! ¡Qué bueno!

Anoche cené a las nueve con mis amigos.
Cenamos **3** *sopa/marisco*, paella y **4** *helado/queso*.

Me gusta **5** *el pescado/el pollo* – es mi plato favorito.
Pero como de todo… ¡No es un secreto!

¡Ñam, ñam! ¡Qué rico! ¡Ñam, ñam!
Todos dicen ¡ñam, ñam! x2

en punto	on the dot
anoche	last night
todos dicen	everybody says

Eres una persona famosa. ¿Qué desayunas? ¿Qué comes? ¿Qué cenas? ¿Ayer qué comiste?

Desayuno a las… Normalmente desayuno… Como a las… Como… Ayer comí…
Ceno a las… Ceno… Ayer cené… Mi plato favorito es…

En el restaurante

- Ordering a meal
- Using **usted/ustedes**

Escucha y lee el diálogo.

Camarero:	Buenos días. ¿Qué van a tomar?
Gabriela:	Tengo hambre. De primer plato voy a tomar <u>ensalada</u>.
Camarero:	¿Y de segundo?
Gabriela:	De segundo plato voy a tomar <u>tortilla española</u>.
Camarero:	¿Y usted? ¿Qué va a tomar?
Juan:	De primer plato voy a tomar <u>sopa</u>. Y de segundo plato voy a tomar <u>chuletas de cerdo</u>.
Camarero:	¿Para beber?
Juan:	Tengo sed, voy a tomar <u>cola</u>.
Gabriela:	Yo también voy a tomar <u>cola</u>.
Camarero:	¿Qué van a tomar de postre?
Juan:	Voy a tomar <u>helado de chocolate</u>.
Gabriela:	Y yo voy a tomar <u>tarta de queso</u>.

[Un poco más tarde]

Camarero:	¿Algo más?
Juan:	No, nada más, gracias. La cuenta, por favor.

Menú

Pan	2,00€	
Primer plato		
Sopa	4,70€	
Ensalada mixta	4,50€	
Huevos fritos con patatas fritas	7,60€	
Segundo plato		
Pollo con pimientos	9,50€	
Tortilla española (V)	7,50€	
Chuletas de cerdo	10,50€	
Filete	12,00€	
Postre		
Helado de chocolate/ fresa/vainilla	3,70€	
Tarta de queso	3,75€	

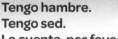

Tengo hambre.	*I am hungry.*
Tengo sed.	*I am thirsty.*
La cuenta, por favor.	*The bill, please.*

pimientos *peppers*

Gramática

To say 'you':

Use **tú** with <u>one</u> person you know well.
Use **usted** (singular) or **ustedes** (plural) with people you don't know well.

The verb forms change as follows:

tú	¿Qué **vas** a tomar?
usted	¿Qué **va** a tomar?
ustedes	¿Qué **van** a tomar?

>> p68

Lee el diálogo del ejercicio 1 otra vez. Copia y completa la ficha del camarero.

primer plato	segundo plato	para beber	postre
1 x ensalada 1 x ...			

3 Escucha. ¿Qué van a tomar? Copia y completa la tabla en inglés. (1–3)

	starter	main course	drink	dessert
1	salad			cheesecake
2		steak	water	
3				vanilla ice cream

Pronunciación

When a **d** comes between vowels in Spanish, it makes a soft sound. Touch your tongue against the bottom of your top teeth: hela**d**o, ensala**d**a.

4 En un grupo de tres, haz <u>tres</u> diálogos. Utiliza el diálogo del ejercicio 1 como modelo. Cambia los datos subrayados.

In a group of three, create <u>three</u> dialogues. Use the dialogue from exercise 1 as a model. Change the underlined information.

el cebiche	Latin American raw fish dish
encima	on top
la langosta	lobster

5 Lee los textos. Empareja el título en inglés con cada texto.

Read the texts. Match the titles in English to each text.

1 Normalmente cenamos en casa a las nueve, pero el fin de semana pasado fui a un restaurante chileno con mi familia donde celebramos el cumple de mi abuela. Tomé cebiche de pescado y mi abuela tomó ensalada chilena.
Rosa

2 La semana pasada salí con mis amigos y fuimos a un restaurante argentino. Tomé filete de carne con un huevo frito encima. ¡Qué rico! Me gusta mucho la carne. De postre tomé helado de vainilla.
Tomás

3 Normalmente los viernes por la tarde juego al fútbol, pero el viernes pasado fui a un restaurante cubano porque mi padre ganó una cena cubana. Me encantó. Comí arroz a la cubana. ¡Ñam, ñam! Mi padre tomó langosta y un cóctel cubano, un daiquiri. Todo fue superguay.
Ángela

a Outstanding Argentinian meal!

b No football tonight! Dad won a Cuban meal!

c Gran's birthday in a Chilean restaurant!

6 Lee los textos otra vez. Contesta a las preguntas en inglés.

Who...
1 ate a special salad?
2 ate vanilla ice cream for dessert?
3 drank a cocktail?
4 likes meat?
5 normally has dinner at nine?
6 ate a rice dish?

7 Diseña tu menú perfecto. Luego escribe un texto a partir del menú. Utiliza los textos del ejercicio 5 como modelo.

Design your perfect menu. Then write a text based on the menu. Use the texts from exercise 5 as a model.

Say:
○ what you normally do on Fridays (**Normalmente los viernes...**)
○ that you went to a restaurant last Friday (**Pero el viernes pasado...**)
○ what you ate and drank (**Comí... De postre tomé... Bebí...**)
○ what other people had (**Mi padre/madre/amigo comió/tomó...**)
○ what it was like (**Fue...**)

SKILLS

Using the present and the preterite

Using two tenses (the present and the preterite) adds variety to your writing and raises your level.

1 Lee la invitación y las frases. ¿Verdadero o falso? Escribe V o F.

Ejemplo: **1** F

| traer | to bring |
| tener lugar | to take place |

¡Vamos a celebrar una fiesta mexicana!

Día: sábado, cinco de mayo
Hora: a las ocho
Lugar: en casa de Daniel

¡Vamos a comer y a bailar! ¡Va a ser superdivertida!
Por favor, trae limonada, guacamole, nachos, quesadillas o fajitas.
¿Tú? ¿Qué vas a traer?

1 La fiesta va a tener lugar el seis de mayo.
2 La fiesta va a comenzar a las ocho.
3 La fiesta va a tener lugar en casa de David.
4 Va a ser aburrida.
5 Los invitados van a comer y a bailar.

Gramática

You use the near future tense to say what you are going to do.
Use the present tense of the verb **ir** followed by **a** plus the infinitive.

Voy a traer fajitas.   I am going to bring fajitas.
Vas a comprar queso.   You are going to buy cheese.
Va a ser superguay.   It is going to be really cool.

Vamos a bailar.   We are going to dance.
Vais a cantar.   You (pl) are going to sing.
Van a comer mucho.   They are going to eat a lot.

▷▷ p69

2 ¿Qué van a traer a la fiesta de Daniel? ¿Qué ingredientes van a comprar?
Escribe las letras en el orden correcto. (1–4)

Ejemplo: **1** c, i, ...

Voy a traer...

a limonada   **b** guacamole

c quesadillas   **d** fajitas

Pronunciación

The letter **j** is pronounced as a rasping sound from the back of your throat: fa**j**itas. And **ll** is similar to the 'y' sound in 'yes': quesadi**ll**as, torti**ll**as.
Do you remember **j**irafa and came**ll**o from Libro 1?

Voy a comprar...

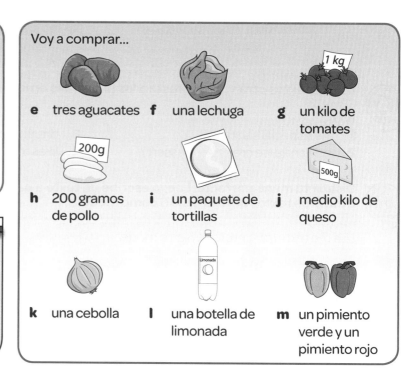

e tres aguacates   **f** una lechuga   **g** un kilo de tomates

h 200 gramos de pollo   **i** un paquete de tortillas   **j** medio kilo de queso

k una cebolla   **l** una botella de limonada   **m** un pimiento verde y un pimiento rojo

Juego de memoria. Con tu compañero/a, pregunta y contesta. Utiliza las palabras del ejercicio 2.

● ¿Qué vas a traer a la fiesta?
■ Voy a traer <u>guacamole</u>.

● ¿Qué vas a comprar?
■ Voy a comprar…

Escucha y lee la encuesta. Escribe las respuestas correctas para Juan y Marina. (1–4)

Ejemplo: **1** Juan b, Marina…

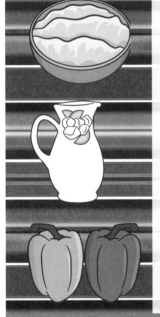

1 Estás invitado/a a una fiesta mexicana. ¿Qué opinas?
 a En mi opinión, va a ser guay.
 b No sé. Vamos a ver.
 c En mi opinión, va a ser aburrida.

2 ¿Qué prefieres comer? ¿Fajitas o quesadillas?
 a Prefiero comer fajitas.
 b Prefiero comer quesadillas.
 c ¡Puaj! No me gusta nada la comida mexicana.

3 ¿Qué vas a traer a la fiesta?
 a Voy a traer quesadillas y limonada.
 b Voy a traer guacamole.
 c No voy a traer nada.

4 ¿Qué vas a hacer en la fiesta?
 a Voy a hablar con mis amigos y vamos a bailar.
 b Voy a comer algo.
 c No voy a ir. No tengo ganas.

No sé.	*I don't know.*
No tengo ganas.	*I don't fancy it.*

¡Ahora calcula!
10–12 puntos: Te gustan las cosas nuevas. Para ti, la fiesta va a ser superdivertida.
5–9 puntos: Eres curioso/a. Vas a ir a la fiesta, y vas a ver.
1–4 puntos: ¡Anda! Hay que probar cosas nuevas de vez en cuando. Tu vida es un poco aburrida, ¿verdad?

a = 3 puntos
b = 2 puntos
c = 1 punto

Con tu compañero/a, haz la encuesta del ejercicio 4.

Ejemplo:
● **Pregunta número uno. Estás invitado/a a una fiesta mexicana. ¿Qué opinas?**
■ 'a' – En mi opinión, va a ser guay. ¿Y tú?

Elige un tema para una fiesta. Diseña una invitación. Utiliza un diccionario si es necesario.
Choose a theme for a party. Design an invitation. Use a dictionary if necessary.

Ejemplo:

¡Vamos a celebrar una fiesta de vampiros!

Día: ——
Hora: ——
Lugar: ——

Vamos a ——. ¡Va a ser ——!
Por favor, trae ——.

¡Fiesta!

○ Giving an account of a party
○ Using three tenses together

Escucha y lee.

Normalmente los fines de semana no salgo mucho. Escucho música o veo un DVD y como nachos, pero el fin de semana pasado salí con mis amigos. Fui a una fiesta de los Oscar.

Vi los Oscar en la televisión. Comí palomitas y bebí zumo espumoso de manzana. Después de la ceremonia bailé sobre la alfombra roja. Fue fenomenal. Me encantó.

El año que viene voy a hacer una fiesta al estilo de Hollywood en casa. Voy a comprar una alfombra roja, trofeos y confeti de estrellas. ¡Va a ser superdivertida!
Liliana

las palomitas	*popcorn*
el zumo espumoso de manzana	*sparkling apple juice*
la alfombra roja	*red carpet*

Lee el texto otra vez. Pon los dibujos en el orden correcto.

Ejemplo: c, …

 a b   c   d   e   f

Gramática

The text in exercise 1 has examples of three tenses: the present, the preterite and the near future. Look carefully at verb forms to see which tense someone is using:

present	preterite	near future
bailo	bailé	voy a bailar
como	comí	voy a comer
veo	vi	voy a ver
salgo	salí	voy a salir
voy	fui	voy a ir
es	fue	va a ser

Look at time-markers for clues:

normalmente	**el fin de semana pasado**	el fin de semana que viene
generalmente	**el año pasado**	el año que viene
los viernes	**el viernes pasado**	el próximo viernes

>> p69

Lee el texto otra vez. Completa las frases en inglés.

1 Normally at weekends, Liliana —— or —— and ——.
2 But last Sunday she ——.
3 At the party, she ——, —— and ——.

4 After the ceremony, she ——. It was ——.
5 Next year, Liliana is going to have ——.
6 She is going to buy ——, —— and ——. She thinks it is going to be ——.

4 **Escucha. Copia la tabla y escribe las letras correctas.**

present	preterite	near future
f, ...		

a   b   c d  e   f

5 **Lee los textos. Copia y completa la tabla en inglés.**

los pastelitos	cupcakes
la piñata	paper container filled with sweets

Normalmente los fines de semana veo la televisión o juego a los videojuegos, pero el fin de semana pasado fui a una fiesta mexicana y fue guay. ☺ Comimos quesadillas con guacamole y bebimos limonada. Me encantó la fiesta. ¡Viva México! El año que viene voy a hacer una fiesta mexicana en casa. Vamos a hacer fajitas y vamos a tener una piñata.

Alberto

Generalmente los fines de semana no salgo mucho, pero el fin de semana pasado fui a una fiesta de chocolate. Comí pastelitos de chocolate y también comí fruta con chocolate de una fuente de chocolate. Fue genial. Comimos mucho chocolate. ¡Ñam, ñam!
El fin de semana que viene voy a hacer una fiesta de caramelos en casa. ¡Va a ser guay! Vamos a comer muchos caramelos y también vamos a cantar karaoke.

Bea

	present	preterite	near future
Alberto	watches TV, plays video games		
Bea			

> The we form of **-ar** verbs is the same in the preterite and the present tense: **bailamos** means 'we dance' _and_ 'we danced'.

6 **Con tu compañero/a describe estas fiestas.**

	Normalmente los fines de semana...	Pero el fin de semana pasado...	El fin de semana que viene...
a		fiesta de fútbol con Vi el partido Fue ☺ ☺	fiesta de béisbol Va a ser ☺
b		fiesta de superhéroes Fue ☺ ☺	fiesta mexicana Va a ser ☺

7 **Describe otra fiesta. Escribe un texto.**

Say:

- ○ what you normally do at the weekends **(Normalmente los fines de semana...)**
- ○ that you went to a party last weekend **(Pero el fin de semana pasado fui...)**
- ○ what you did at the party and what it was like **(Comí... bebí... bailé... vi... Fue...)**
- ○ what type of party you are going to have next weekend **(El fin de semana que viene voy a hacer...)**
- ○ what you are going to do at the party and what it will be like **(Vamos a... Va a ser...)**

¿Y tú? ¿Qué opinas?

○ Using coping strategies when speaking
○ Responding to what people say

SPEAKING SKILLS

1 LEER

Empareja el español con el inglés.

Ejemplo: **1** b

1 Well...	**a** A ver...
2 It depends...	**b** Pues...
3 I don't know...	**c** Eh...
4 Er...	**d** No sé...
5 Let's see...	**e** Bueno/Vale...
6 OK...	**f** Depende...

SKILLS

Playing for time

When you are speaking, you can use 'fillers' like **pues...** and **a ver...** to give yourself thinking time. Using them will also help you to sound more Spanish!

2 ESCUCHAR

Escucha los diálogos. Escribe las letras del ejercicio 1 en el orden en el que las escuchas.

Listen to the dialogues. Write the letters from exercise 1 in the order in which you hear them.

Ejemplo: c, ...

3 HABLAR

Con tu compañero/a, pregunta y contesta. Utiliza dos muletillas en cada respuesta.

With your partner, ask and answer. Use two fillers in each answer.

Ejemplo: **1** Pues... depende, normalmente desayuno...

1 ¿Qué desayunas?
2 ¿Qué comes?
3 ¿Qué cenas?

4 ESCUCHAR

Escucha. Elige la frase que entiendes.

Ejemplo: **1** b

1	**a**	¿Qué significa 'fajitas'?
	b	Lo siento, pero no entiendo.
2	**a**	¿Puedes repetir?
	b	Lo siento, pero no entiendo.
3	**a**	Lo siento, pero no entiendo.
	b	¿Puedes hablar más despacio, por favor?
4	**a**	¿Puedes hablar más despacio, por favor?
	b	¿Puedes repetir?
5	**a**	¿Puedes repetir?
	b	¿Qué significa 'chulo'?

SKILLS

When you don't understand...

If you can't understand what someone says, don't panic! Learn how to ask someone in Spanish to repeat something or speak more slowly. If you are having difficulty with one particular word, ask what it means.

5 Busca estas frases en español en las respuestas del ejercicio 4.

1 Can you repeat that?
2 I'm sorry, but I don't understand.
3 What does '...' mean?
4 Can you speak more slowly, please?

6 Juego de memoria. Con tu compañero/a, aprende las frases del ejercicio 5.

● ¿Cómo se dice en español '**Can you repeat that?**'?
■ **¿Puedes repetir?**

7 Empareja las frases con las reacciones adecuadas.
Match the sentences with the appropriate reactions.

Ejemplo: **1** e

1 ¡Hola! ¿Cómo estás? ¿Te gusta mi fiesta?
2 El fin de semana pasado fui a un restaurante y comí tarta de queso.
3 El viernes pasado fui a un concierto de Justin Bieber.
4 ¿Qué tipo de música te gusta?
5 ¿Te gustan las hamburguesas?

a ¡Puaj! ¡Qué asco! Soy vegetariano.
b ¡No me digas! ¿Con quién fuiste?
c ¡Qué rica!
d Me gusta mucho el rap.
e Sí, me encanta. ¡Qué guay!

SKILLS

Listening and reacting

When you are speaking Spanish, it's important to listen carefully. If someone asks you a question, they are looking for information. At other times, you may just need to react with an exclamation, e.g. **¡Qué interesante!**

¡No me digas! *Really?*

8 Escucha las preguntas y las frases. Con tu compañero/a, reacciona. (1–6)

Ejemplo: **1**
● Sí, me gusta mucho la música de One Direction.
■ ¡No me digas! No me gusta nada.

9 Trabaja en un grupo de tres personas. Con un compañero/a, pregunta y contesta. La otra persona copia y rellena la tabla.

¿Qué te gusta comer y beber?

¿Tienes hambre? ¿Qué vas a tomar?

¿Qué tipo de música te gusta?

Conocí a Kanye West el año pasado.

¿Qué vas a hacer el fin de semana que viene?

¿Qué hiciste el fin de semana pasado?

Ayer vi un partido de fútbol flipante.

	perfecto ☆☆☆	bravo ☆☆	bien ☆
use of fillers			
asking someone to repeat/speak more slowly			
reactions/ exclamations			

¿Qué comemos?
○ Learning about food in other countries
○ Using direct object pronouns

1 Escucha y lee los textos.

chapulines

México

pollo con mole negro

Oaxaca

El Salvador

pupusas

armadillo

Ecuador

piraña

llapingachos

Zona Cultura

In Central and South America, people eat meat and fish as well as rice, beans, corn and potatoes. However, different countries also have their own traditional foods, some of which can seem unusual to us!

además — *what's more, also*
los chapulines — *grasshoppers*

1

En El Salvador comemos pupusas. Son tortillas con queso y frijoles refritos. Me gustan mucho y las como dos o tres veces a la semana. También comemos armadillo. Lo como de vez en cuando y me gusta bastante.
María

2

En Ecuador comemos llapingachos: unas tortitas de patatas con queso. Son deliciosos. Los como dos veces a la semana. Además, comemos las pirañas que viven en el Amazonas. Son muy ricas. Me gusta mucho la piraña. La como dos o tres veces al mes.
Juan

3

Vivo en Oaxaca, en México, donde uno de los platos típicos es el mole negro. ¡Qué rico es! Lo como con pollo una vez a la semana. Es una salsa con chiles, chocolate y almendras. ¡Ñam, ñam! Y tenemos otra especialidad: los chapulines. Son buenos. Los como una vez al mes.
Carlos

2 Lee los textos otra vez. ¿Cómo se llaman estos platos en español?

Ejemplo: **1** pupusas

1 tortillas with cheese and refried beans
2 small cakes made from cheese and potatoes
3 a sauce with chilli, chocolate and almonds
4 a type of fish from the Amazon river

> For some dishes, there is no translation in English because there is no equivalent – for example, **pupusas**.

Gramática

Direct object pronouns are words like 'it' and 'them'. They replace the object of the verb.

I eat chicken. → I eat **it**.
Como pollo. → **Lo** como.

In Spanish, direct object pronouns come in front of the verb. They change according to the gender and number of the object they are replacing.

	singular (it)	plural (them)
masculine	lo	los
feminine	la	las

≫ p69

3 Lee los textos del ejercicio 1 otra vez. Copia y completa la tabla.

1 María   **2** Juan   **3** Carlos

name	country	dishes mentioned	how often they eat
María	El Salvador	pupusas armadillo	two or three times a week …

 4 Con tu compañero/a, imagina una entrevista con María, Juan o Carlos. Pregunta y contesta.

Ejemplo:
- ¿Cómo se llama un plato típico de <u>El Salvador</u>?
- ■ Un plato típico se llama '<u>pupusas</u>'.
- ¿Con qué frecuencia <u>las</u> comes?
- ■ <u>Las</u> como <u>dos o tres veces a la semana</u>.

 5 Lee los textos y completa las frases en inglés. Utiliza el minidiccionario si es necesario.

El año pasado fui a Barcelona con mi familia. Fue guay y me encantó. Una noche fuimos a un restaurante donde comí caracoles y me gustaron. ¡Qué ricos! En mi opinión, es importante probar cosas nuevas. Ahora los como una vez al mes. El año que viene voy a ir a Mallorca y voy a probar el frito mallorquín.

Alejandro

Hace tres años fui a Córdoba, en España, donde comí una especialidad: el rabo de toro. ¡Ñam, ñam! Me gusta mucho la carne, pero también como verduras porque es importante. Las como todos los días. El año que viene voy a ir a Galicia y voy a probar el pulpo. ¿Lo vas a probar?

Claudia

1 Last year, in a restaurant in Barcelona, Alejandro…

2 In Alejandro's opinion it is important to…

3 Next year, he is going to try 'frito mallorquín' when he goes to…

4 In Córdoba, three years ago, Claudia…

5 Claudia likes meat, but she also…

6 Next year, she is going to go to Galicia and…

probar	*to try*
el frito	*Mallorcan fried fish*
mallorquín	*or meat dish*

 6 Escucha. Copia y completa la tabla en español. Usa las letras del cuadro para la comida. (1–2)

	¿dónde?	¿cuándo?	¿qué comida?
1	México El Salvador	hace dos años …	a, … …

a quesadillas   **d** nachos
b paella valenciana de marisco   **e** ensaladas ricas
c pupusas   **f** gambas

7 Haz una presentación. Menciona:

○ your favourite dish and how often you eat it
(**Mi plato favorito es/son… Lo/la/los/las como…**)

○ where you went recently, what you ate and what it was like
(**El año pasado/Hace dos años fui a… donde comí… Fue…**)

○ where you are going to go next year and what food you are going to try (**El año que viene voy a ir a… y voy a probar…**)

SKILLS

Moving up a level

You can bring your presentation up to a higher level by…

○ using connectives:
donde, pero, también, además
○ giving opinions and reasons:
Me gusta mucho la carne porque es deliciosa.

¡RESUMEN! I can...

- ask someone what they like to eat and drink — **¿Qué te gusta comer y beber?**
- say what food I like — **Me gustan el pescado y los huevos.**
- ask someone what they don't like to eat — **¿Qué no te gusta comer?**
- say what food I don't like — **No me gusta nada la carne.**
- S use a wider range of opinions — **Odio la leche. Prefiero el agua.**
- S agree/disagree with someone — **Estoy/No estoy de acuerdo con…**
- S use exclamations — **¡Puaj! ¡Qué asco! ¡Ñam, ñam!**

- ask what someone has for different meals — **¿Qué desayunas/comes/cenas?**
- ask someone at what time they eat — **¿A qué hora desayunas/comes/cenas?**
- say what I have for different meals — **Desayuno té. Como un bocadillo. Ceno pollo con ensalada.**
- use negatives — **No como carne. Nunca como fruta. No desayuno nada.**

- understand a menu — **pollo con pimientos, filete, helado de fresa**
- order a meal in a restaurant — **De primer plato voy a tomar una ensalada.**
- say I am hungry and thirsty — **Tengo hambre y tengo sed.**
- ask for the bill — **La cuenta, por favor.**
- use **usted/ustedes** — **¿Qué van a tomar (ustedes)?**

- understand dishes and ingredients — **fajitas, pollo, lechuga, tomates**
- say what I am going to bring to a party — **Voy a traer quesadillas.**
- say what ingredients I am going to buy — **Voy a comprar medio kilo de queso.**
- use the near future tense — **Vamos a bailar. ¡Va a ser guay!**

- give an account of a party — **Fui a una fiesta. Comí palomitas y bailé.**
- use three tenses together — **Normalmente los fines de semana hago los deberes, pero el fin de semana pasado fui a una fiesta. El fin de semana que viene voy a hacer una fiesta mexicana.**

- S cope when speaking by:
  - using fillers — **A ver… Pues… Depende…**
  - asking someone to repeat, explain, etc. — **¿Puedes repetir? ¿Qué significa…?**
  - listening and responding appropriately —
    - **Fui a un concierto de Justin Bieber.**
    - **¡No me digas! Es mi cantante favorito.**

- use direct object pronouns — **Lo como.**
- S use opinions, reasons and connectives to improve a presentation — **donde, pero, me gusta, porque**

¡PREPÁRATE!

 1 Escucha. Copia y completa la tabla en inglés.

	breakfast	lunch	dinner
Tatiana	Cola Cao and 1 ▬	fish with 2 ▬, or 3 ▬	sometimes 4 ▬
Enrique	coffee, 5 ▬ and cereal	sandwich, then 6 ▬	7 ▬ with salad

 2 Con tu compañero/a, haz <u>dos</u> diálogos.

● ¿Qué vas a tomar de primer plato?

■ Voy a tomar <u>ensalada mixta</u>. ¿Y tú? ¿Qué vas a tomar?

● Voy a tomar... ¿Y de segundo plato? ¿Qué vas a tomar?

■ De segundo plato voy a tomar... ¿Y tú?

● De segundo plato voy a tomar...

■ ¿Qué vas a tomar de postre?

● Voy a tomar... ¿Y tú? ¿Qué vas a tomar?

■ Voy a tomar...

 Try doing this exercise with your book closed. Think carefully about how to form the questions in the near future tense.

 3 Lee el texto. Contesta a las preguntas en inglés.

1 Name two things Fabián normally does at the weekend.

2 Why was last weekend different?

3 What three things did he do at the event?

4 What did they eat?

5 What did they drink?

¡Hola! ¿Qué tal?

Normalmente los fines de semana juego al voleibol y hago los deberes, pero el fin de semana pasado fui a una fiesta de Rock'n'Roll y me encantó.

Toqué una guitarra inflable y canté con un micrófono inflable también. Bailamos mucho. ¡Fue genial! Comimos hamburguesas y bebimos batidos de chocolate y de fresa. ¡Ñam, ñam!

Fabián

inflable *inflatable*

 4 Escribe un texto para un foro. Utiliza el texto del ejercicio 3 como modelo.

Say:

○ what you normally do at the weekend

○ what kind of party you went to last weekend

○ what you ate and drank

○ what else you did at the party

○ what the party was like

¡GRAMÁTICA!

To make a sentence negative, put **no** before the verb:

No bebo leche.   I don't drink milk.

Nunca means 'never'. It usually comes before the verb.

Nunca bebo café.   I never drink coffee.

No... nada means 'nothing' or 'not anything'. It makes a 'sandwich' around the verb.

No ceno **nada**.   I don't eat anything for dinner.

1 **Translate the sentences into Spanish.**

  1 I don't eat meat.
  2 I never eat sweets.
  3 I don't have anything for breakfast.
  4 She doesn't eat vegetables.
  5 We never eat chocolate.

Tú, usted, ustedes

- Use **tú** if you are talking to one person you know well.
- Use the polite 'you' singular **usted** if you are talking to someone you don't know very well.
- Use the polite 'you' plural **ustedes** if you are talking to more than one person you don't know very well.

  tú → you (singular, familiar) ¿Qué **vas** a tomar? (you singular verb form)
  usted → you (singular, polite) ¿Qué **va** a tomar? (he/she verb form)
  ustedes → you (plural, polite) ¿Qué **van** a tomar? (they verb form)

2 **Fill in the gaps with the words in the box. Look at the context and the verb endings to work out which word for 'you' is needed.**

Camarero: Buenos días. ¿Qué van a tomar **1**——?
Lola: De primer plato voy a tomar una tortilla.
  ¿Y **2**——, José? ¿Qué vas a tomar?
José: Voy a tomar una ensalada.
Camarero: ¿Y **3**——, señora? ¿De segundo plato,
  qué va a tomar?
Lola: De segundo voy a tomar un filete.
Camarero: ¿Y para **4**——, señor?
José: Voy a tomar pollo.
Camarero: Muy bien. ¿Y de postre que van a tomar
  5——?
Lola: Vamos a tomar helado.

usted
tú
ustedes
ustedes
usted

The near future tense

To say what you are going to do, you use the near future tense. Turn to page 133 to see how to form this for all parts of the verb. You use the present tense of the verb **ir** followed by **a** plus the infinitive:

Voy a bailar.   I am going to dance.

3 **Write six sentences using an element from each section. Translate your sentences into English.**

| el fin de semana que viene
el año que viene
el viernes que viene | voy a
vas a
va a
vamos a
vais a
van a | comer
beber
ir
ser
bailar
tomar | a un restaurante
un filete
flipante
con un chico guapo/una chica guapa
un helado
limonada |

4 **Complete the sentences using the correct form of the near future tense.**

1 Este fin de semana... (I)

2 Este domingo... (we)

3 El verano que viene... (you pl)

4 Esta tarde... (she)

5 El viernes que viene... (they)

6 Esta mañana... (you sg)

Using three tenses together

Use the present tense to say what you normally do.
Los fines de semana **juego** al fútbol.   At the weekend, I play football.

Use the preterite tense to say what you did.
El fin de semana pasado **fui** a una fiesta.   Last weekend I went to a party.

Use the near future tense to say what you are going to do.
El fin de semana que viene **voy a cantar**.   Next weekend I am going to sing.

5 **Copy out the table and fill in the gaps, using the verbs in the box.**

present	meaning	preterite	meaning	near future	meaning
	I dance		I danced	voy a bailar	I am going to dance
	I eat	comí	I ate		I am going to eat
salgo	I go out		I went out		I am going to go out
hago	I do		I did		I am going to do
	I go	fui	I went		I am going to go

voy a salir   como   voy a hacer   bailé   voy a comer   salí   voy a ir   bailo   hice   voy

6 **Fill in the gaps in the sentences using the I form of the verbs in brackets in the correct tense.**

1 Normalmente los sábados (hacer) los deberes y (salir) con mis amigos.
2 El sábado pasado (ir) a una fiesta con mis amigos y (bailar) mucho.
3 Normalmente (comer) pescado, pero el viernes pasado (comer) tortilla española.
4 Ayer (ir) al polideportivo. Fue guay. Este fin de semana también (jugar) al voleibol.

¡PALABRAS!

¿Qué te gusta comer y beber?   What do you like to eat and drink?

¿Qué no te gusta comer/ beber?	What don't you like to eat/drink?	los caramelos	sweets
Me gusta(n) mucho...	I really like...	la fruta	fruit
Me encanta(n)...	I love...	las hamburguesas	hamburgers
No me gusta(n) nada...	I don't like... at all.	los huevos	eggs
Odio...	I hate...	la leche	milk
Prefiero...	I prefer...	el marisco	seafood/shellfish
el agua	water	el pescado	fish
el arroz	rice	el queso	cheese
la carne	meat	las verduras	vegetables

¿Qué desayunas?   What do you have for breakfast?

Desayuno...	For breakfast I have...	Como...	I eat ... /For lunch I have...
cereales	cereal	un bocadillo	a sandwich
churros	churros (sweet fritters)	¿Qué cenas?	What do you have for dinner?
tostadas	toast		
yogur	yogurt	Ceno...	For dinner I have...
café	coffee	patatas fritas	chips
Cola Cao™	Cola Cao (chocolate drink)	pollo con ensalada	chicken with salad
té	tea	¿A qué hora desayunas/ comes/cenas?	At what time do you have breakfast/lunch/dinner?
zumo de naranja	orange juice		
No desayuno nada.	I don't have anything for breakfast.	Desayuno a las siete.	I have breakfast at 7:00.
		Como a las dos.	I have lunch at 2:00.
¿Qué comes?	What do you have for lunch?	Ceno a las nueve.	I have dinner at 9:00.

En el restaurante   At the restaurant

buenos días	good day, good morning	nada más	nothing else
¿Qué va a tomar (usted)?	What are you (singular) going to have?	La cuenta, por favor.	The bill, please.
		la ensalada mixta	mixed salad
¿Qué van a tomar (ustedes)?	What are you (plural) going to have?	los huevos fritos	fried eggs
		la sopa	soup
¿Y de segundo?	And for main course?	el pan	bread
¿Para beber?	To drink?	las chuletas de cerdo	pork chops
¿Algo más?	Anything else?	el filete	steak
Voy a tomar...	I'll have...	el pollo con pimientos	chicken with peppers
de primer plato	as a starter	la tortilla española	Spanish omelette
de segundo plato	for main course	el helado de chocolate/ fresa/vainilla	chocolate/strawberry/ vanilla ice cream
de postre	for dessert		
Tengo hambre.	I am hungry.	la tarta de queso	cheesecake
Tengo sed.	I am thirsty.	la cola	coke

Una fiesta mexicana   A Mexican party

¿Qué vas a traer/ comprar?	What are you going to bring/buy?	un pimiento verde/rojo	a green/red pepper
Voy a traer...	I'm going to bring...	un aguacate	an avocado
quesadillas	quesadillas (toasted cheese tortillas)	un kilo de tomates	a kilo of tomatoes
		medio kilo de queso	half a kilo of cheese
limonada	lemonade	200 gramos de pollo	200 grammes of chicken
Voy a comprar...	I am going to buy...	un paquete de tortillas	a packet of tortilla wraps
una lechuga	a lettuce	una botella de limonada	a bottle of lemonade

¿Y tú? ¿Qué opinas?   And you? What do you think?

Pues...	Well...	Eh...	Er...
Depende...	It depends...	A ver...	Let's see...
No sé...	I don't know...	Bueno/Vale...	OK...

Lo siento, pero no entiendo   I'm sorry, but I don't understand

¿Qué significa '...'?	What does '...' mean?	¿Puedes hablar más despacio, por favor?	Can you speak more slowly, please?
¿Puedes repetir?	Can you repeat that?		

Palabras muy frecuentes   High-frequency words

a las...	at... o' clock	lugar	place
bastante	quite	para	for
día	day	por ejemplo	for example
favorito/a	favourite	pasado/a	last
hora	time	que viene	next

Estrategia 3
Past, present or future?

Verbs in the near future tense are easy to spot, because they are made up of three parts:
1 part of the verb **ir** (to go), **2** the word **a**, **3** an infinitive.

Vamos a comer paella.   We are going to eat paella.

To tell whether a verb is in the present tense or the preterite, you have to look at the verb ending.

Beb**o** zumo de naranja.   I drink orange juice.
Beb**í** zumo de naranja.   I drank orange juice.

Decide which tense each of the following verbs is in. Then translate the sentences.

- Compro pan.
- Vas a bailar salsa.
- Bebimos limonada.

- Jugué al fútbol.
- Van a ir a la fiesta.
- Como patatas fritas.

1 Escucha y lee.

¡LISTOS PARA COCINAR!

1
¡Hola, Iker! ¿Cómo estás? ¿Listo para cocinar?
Mira, aquí están los ingredientes:

medio kilo de tomates   una tableta de chocolate
200 gramos de queso   300 gramos de pollo
un paquete de arroz   un pimiento verde

2
¿Qué vas a preparar, Iker?

Voy a preparar arroz con pollo y chocolate.

¡Qué interesante! Arroz con pollo y chocolate...

3
Primero voy a cortar los tomates y el pimiento verde.

4
Luego voy a cocinar el arroz con los tomates y el pimiento verde. Después voy a cocinar el pollo.

5
Después voy a rallar el chocolate. Voy a mezclar el pollo con el arroz.

6
Finalmente, voy a servir mi plato con el chocolate rallado.
¡Ñam, ñam!

¡Guau!

plato	*dish*
rallado/a	*grated*

2 Busca el equivalente de las frases en español en el texto.

Ejemplo: **1** ¿Qué vas a preparar?

1 What are you going to prepare?
2 First I am going to chop the tomatoes.
3 Then I am going to cook the rice.

4 Afterwards, I am going to grate the chocolate.
5 I am going to mix the chicken with the rice.
6 Finally, I am going to serve my dish.

3 **¿Cuáles son las opiniones de los jueces? Escucha y escribe la letra correcta. (1–4)**
What are the judges' opinions? Listen and write the correct letter

Ejemplo: **1** b

a No me gusta nada.
¡Puaj! ¡Qué asco!

b A mí me encanta.
¡Guau! ¡Qué rico!

c ¡Qué buena idea!
Me gusta muchísimo.

d ¡Ay, ay, ay!
¡Qué horror!

4 **Con tu compañero/a, haz una lluvia de ideas y escribe una lista de <u>seis</u> ingredientes para *¡Listos para cocinar!*.**
With your partner, brainstorm a list of <u>six</u> ingredients for ¡Listos para cocinar!.

Ejemplo:
● **300 gramos de gambas**
■ unos caramelos
● ...

> Use expressions of quantity to specify how much of each ingredient you need:
> 200 gramos de...   un paquete de...
> medio kilo de...   una botella de...
> un kilo de...

5 **En un grupo de cuatro personas, escribe un guión para *¡Listos para cocinar!*.**
In a group of four, write a script for ¡Listos para cocinar!.

○ Decide on a list of ingredients.
○ Cast the following roles: host/hostess, chef, two judges.
○ Write your script. Base the script on the story in exercises 1 and 3. Follow the format closely, but feel free to add different opinions and expressions.

The host/hostess uses the present tense to introduce the show and ask the judges for their opinions:

The chef uses the near future and sequencers to say what he/she is going to do:

The judges react and give their opinions:

PRESENTADOR/A
¿Cómo estás?
¿Listo/a para cocinar?
Mira, aquí están los ingredientes:
¿Qué opinas?

CHEF
Voy a preparar...
Primero voy a...
Luego voy a...
Después voy a...
Finalmente, voy a...

JUECES
A mí me encanta.
Me gusta muchísimo.
No me gusta nada.
¡Puaj! ¡Qué asco!
¡Guau! ¡Qué rico!
¡Qué buena idea!
¡Ay, ay, ay! ¡Qué horror!

6 **Aprende tu papel. Trabaja en tu grupo. Haz un vídeo de *¡Listos para cocinar!*.**
Learn your lines. Work in your group. Make a video of ¡Listos para cocinar!.

¿Qué hacemos?

1 Estas ofertas son de:

8 DEL 5 AL 21 DE ABRIL
DÍASDE**ORO**

Destacamos

Camiseta de hombre
Speed Legend
Graphic Nike
~~34€~~ 21,95€ (-35%)

Botas de fútbol
Mercurial Victory IV
AG Nike
~~59,90€~~ 41,93€
(-30%)

Bicicleta estática
Easy 3.0 Proform
~~299€~~ 239€ (-20%)

Zapatillas running de
hombre RealFlex
Speed Reebok
~~99,90€~~ 69,93€
(-30%)

Polo de hombre
Gallery Champion
~~24,90€~~ 14,95€
(-40%)

a ¿seis días?

b ¿siete días?

c ¿ocho días?

2 Tienes cuarenta y cinco euros. ¿Cuáles son las cosas que **no** puedes comprar (<u>dos</u> opciones)?

a la camiseta de hombre y el polo de hombre
b las botas de fútbol
c las zapatillas para correr
d la bicicleta estática

3 Esta persona es un gaucho de Argentina. Va a...

a bailar

b montar a caballo

c cantar

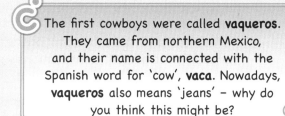

The first cowboys were called **vaqueros**. They came from northern Mexico, and their name is connected with the Spanish word for 'cow', **vaca**. Nowadays, **vaqueros** also means 'jeans' – why do you think this might be?

4 En tu opinión, ¿de qué país es este gorro?

a Perú
b España
c México
d China

5 En España el horario
típico de apertura es:

a
9.00–1.00
2.00–6.00

b
10.00–2.00
5.00–9.00

6 ¿Cuál de estas tiendas **no** es de origen español?

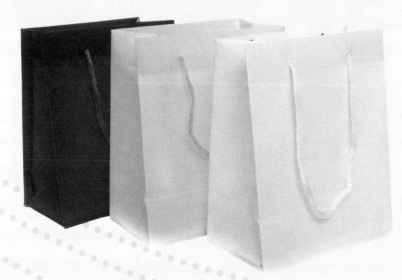

a Mango
b Zara
c H&M

7 ¿Qué se compra en estas tiendas en tu opinión?

1 panadería
2 frutería
3 pescadería
4 carnicería
5 heladería

In the evening, people in Spain often go for a walk
with friends or family. This is called **el paseo**. Many
cities in Spain have broad streets with benches,
where people walk and then sit and talk. Can you
think of another reason why **el paseo** is so popular,
especially in southern Spain?

¿Te gustaría ir al cine?

1
Escucha. ¿Adónde quieren ir? Escribe la letra correcta. (1–7)

Ejemplo: **1** c

a ¿Te gustaría ir al centro comercial?

b ¿Te gustaría ir al parque?

c ¿Te gustaría ir al polideportivo?

d ¿Te gustaría ir al museo?

e ¿Te gustaría ir a la bolera?

f ¿Te gustaría ir a la pista de hielo?

g ¿Te gustaría venir a mi casa?

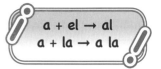

a + el → al
a + la → a la

2
Escucha otra vez. ¿Es una reacción positiva o negativa? (1–7)

Ejemplo: **1** 😊

😊
Vale.
De acuerdo.
Muy bien.
¡Genial!
Sí, me gustaría mucho.

☹️
¡Ni hablar!
¡Ni en sueños!
No tengo ganas.
¡Qué aburrido!

Gramática

Me/Te gustaría is the conditional form of **me/te gusta**. You use it to say what you <u>would</u> like to do. It is often followed by the infinitive.

¿Te gustaría ir a la cafetería? — Would you like to go to the café?

Me gustaría ir al cine. — I would like to go to the cinema.

3
Con tu compañero/a, juega al tres en raya.

Ejemplo:
● Tres: ¿Te gustaría ir al parque?
■ Cinco: ¿Te gustaría ir a la bolera?

1

2

3

4

5

6

7

8

9

1	2	3 O
4	5 X	6
7	8	9

Pronunciación

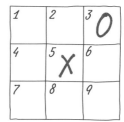

In Spanish, the letter **h** is silent:
¡**H**ola! ¿Te gustaría ir a la pista de **h**ielo?
You learned it in **h**ipopótomo in Libro 1.

4 ¿Dónde quedan? Escribe las letras correctas. Traduce las frases al inglés.

Where are they meeting? Write the correct letters. Translate the sentences into English.

Ejemplo: **1** b behind the shopping centre

¿Dónde quedamos?

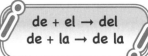
de + el → del
de + la → de la

1 detrás del centro comercial

2 delante de la cafetería

3 enfrente del polideportivo

4 al lado de la bolera

5 en tu casa

a
b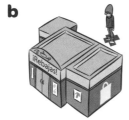
c
d
e

5 Escucha. Copia y completa la tabla. (1–5)

	place?	time?	meet where?
1	ice rink		next to the ▬▬
2		3.15	behind the ▬▬
3			▬▬ the bowling alley
4	my house		
5			

¿A qué hora?

a las seis

a las seis y cuarto

a las seis y media

a las siete menos cuarto

a las siete menos diez

6 Con tu compañero/a haz <u>dos</u> diálogos. Utiliza los dibujos. Luego inventa otro diálogo.

● ¡Hola! ¿Te gustaría ir...?

■ ¿A qué hora? ¿Dónde quedamos?

a

b

7 Lee el diálogo. Apunta los datos siguientes:

○ When?
○ Places suggested?
○ Place chosen?
○ Meet where?

Foro chat ☺ ¡Hola, amigos!

Yuyu: ¡Hola, Kala! ¿Qué tal? ¿Te gustaría ir al centro comercial el sábado?

Kala: ¡Hola, Yuyu! No. No tengo ganas. ¿Te gustaría ir a la pista de hielo?

Yuyu: ¡Ni en sueños! No me gusta nada hacer patinaje. ¿Te gustaría ir a la bolera?

Kala: Sí, me gustaría mucho. ¿A qué hora?

Yuyu: A ver… no sé… ¿a las dos?

Kala: Vale. ¿Dónde quedamos? ¿Al lado de la bolera?

Yuyu: No, en tu casa.

Kala: Muy bien. Hasta luego.

8 Escribe un diálogo para un foro. Utiliza el diálogo del ejercicio 7 como modelo.

Lo siento, no puedo

○ Making excuses
○ Using **querer** and **poder**

Escucha y escribe la letra correcta. (1–8)

Ejemplo: **1** g

¿Quieres salir?   Lo siento, no puedo...

a

Tengo que hacer los deberes.

b

Tengo que ordenar mi dormitorio.

c

Tengo que pasear al perro.

d

Tengo que lavarme el pelo.

e

Tengo que salir con mis padres.

f

Tengo que cuidar a mi hermano.

g

No quiero.

h

No tengo dinero.

---

tener = to have
No **tengo** dinero.   I don't have any money.

tener que + infinitive = to have **to**
Tengo que pasear al perro.   I have to walk the dog.

Gramática

Querer and **poder** are stem-changing verbs. They are usually followed by an infinitive.

querer	to want
quiero	I want
quieres	you want
quiere	he/she wants
queremos	we want
queréis	you want
quieren	they want

¿Quieres salir?	Do you want to go out?

poder	to be able to/can
puedo	I can
puedes	you can
puede	he/she can
podemos	we can
podéis	you can
pueden	they can

No puede salir.	He/She can't go out.

>> p92

---

② Lee y contesta a las preguntas.

¿Te gustaría salir hoy?
Laura

¿Te gustaría ver un partido de fútbol esta tarde?
Lucas

¿Quieres ir a la bolera esta noche?
Nuria

¿Quieres ir de compras mañana?
Marta

¿Te gustaría ir de paseo mañana por la mañana?
Miguel

¿Te gustaría ir a la playa el sábado por la tarde?
Antonio

Who would like to go...
1 shopping tomorrow?
2 bowling tonight?
3 to the beach on Saturday afternoon?
4 out today?
5 to a football match this afternoon?
6 for a walk tomorrow morning?

Escucha. Copia y completa la tabla. (1–4)

	where?	when?	excuse?
1		today	
2			no money
3	café		
4			

To ask if someone wants to go out, you can use:

¿Quieres ir a la playa mañana?
Do you want to go to the beach tomorrow?
or
¿Te gustaría ir a la playa mañana?
Would you like to go to the beach tomorrow?

Con tu compañero/a, pregunta y contesta.

1 ● ¿  ?

2 ● ¿  ?

3 ● ¿  ?

■ ✗ No, lo siento, no puedo. Tengo que...

■ ✗

■ ✗

Lee los textos. Contesta a las preguntas en inglés.

Ana@ana68
#nopuedo No puedo salir hoy porque tengo que ordenar mi dormitorio y luego tengo que hablar con mi abuelo por Skype. ¿Puedes salir el viernes?

Pedro Díaz@pedrrrogrr
#losiento No puedo ir al parque porque ayer salí con mis amigos (fue guay), así que hoy tengo que hacer los deberes. ¿Podemos ir mañana?

Paula Medrano@paumedrano
#concierto@chiquita ¿Te gustaría ir al concierto de Justin Bieber? Tengo dos entradas, pero no puedo ir porque tengo que salir con mis padres. ¡Qué rollo! ☹

Fátima@fátima07
#miperro Me encantaría ir a la bolera, pero tengo que pasear al perro y además, no tengo dinero.

¡Qué rollo! *How annoying!*

1 Why can't Ana go out?
2 What did Pedro do yesterday and how was it?
3 What does Pedro have to do today?

4 How many concert tickets does Paula have?
5 Why is she giving them away?
6 Why can't Fátima go bowling?

Escribe tres SMS y explica porque no puedes ir:

a al concierto esta noche
b a la bolera mañana
c a la cafetería esta tarde

Lo siento, pero no puedo ir al/a la...
Tengo que... y luego... ¡Qué...!

Can you add an example of the preterite?
See Pedro's text in exercise 5.

 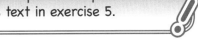

¿Cómo te preparas?

○ Discussing getting ready to go out
○ Using reflexive verbs

1 Escucha y lee.

¿Cómo te preparas cuando sales de fiesta?

Primero me ducho, me baño o me lavo la cara.

Luego me visto.

Después me lavo los dientes.

Siempre me peino.

Finalmente me maquillo.

A veces me pongo gomina o me aliso el pelo.

Gramática

Reflexive verbs include a reflexive pronoun. They often describe an action you do to yourself – for example, **lavarse** (to wash oneself/ to get washed).

me lavo	I wash myself/get washed
te lavas	you (sg) wash yourself
se lava	he/she washes him/herself
nos lavamos	we wash ourselves
os laváis	you (pl) wash yourselves
se lavan	they wash themselves

>> p92

2 Lee el texto otra vez. Busca el equivalente de estas palabras en español.

Ejemplo: **1** luego

1 then
2 sometimes
3 finally
4 afterwards
5 first
6 always

SKILLS

Using time expressions

To make your sentences more interesting, you can use expressions of frequency (e.g. **a veces**) and sequencers (e.g. **primero**).

3 Con tu compañero/a, haz la frase más larga posible.

● ¿Cómo te preparas cuando sales de fiesta?

■ A ver… primero <u>me lavo los dientes</u>, luego <u>me lavo la cara</u>, después…, a veces…

**Escucha y lee la canción. Pon los dibujos
on ol ordon corrocto. Luego canta.**

Ejemplo: f, …

a **b** **c**

d **e** **f**

Cuando salgo con mis amigos,
Primero me baño, después me pongo gomina,
Y luego me visto. ¡Listo! x 2
¡Guapo! ¡Guapo! ¡Chico guapo! ¡Ah, sí! ¡Qué guapo soy!
¡Guapo! ¡Guapo! ¡Chico guapo! ¡Ah, sí! ¡Qué guapo soy!

Cuando salgo con mis amigas,
Primero me peino, me lavo los dientes,
Y luego me maquillo. x 2
¡Guapa! ¡Guapa! ¡Chica guapa! ¡Ah, sí! ¡Qué guapa soy!
¡Guapa! ¡Guapa! ¡Chica guapa! ¡Ah, sí! ¡Qué guapa soy!

Lee los textos. Elige la respuesta correcta.

Ejemplo: **1** a

A ver, cuando tengo un concierto, primero
me ducho y luego me visto. Tengo que estar
guapo para mis fans. Después me peino.
Generalmente me pongo gomina, me lavo
los dientes y estoy listo. Pero cuando salgo
con mis amigos, no me pongo gomina porque
me pongo una gorra. Es difícil ser famoso. Ayer, por
ejemplo, no comí nada en el restaurante porque tuve
que firmar autógrafos. ¡Qué lástima!
Jorge

Soy una 'it girl' y salgo
muchísimas veces a la semana.
Ayer, por ejemplo, salí y conocí
a muchas personas interesantes.
Mañana voy a ir al teatro. Cuando
salgo, nunca me aliso el pelo. ¡Qué
rollo! No tengo tiempo. Primero me lavo la cara,
luego me maquillo y después, me visto. Nunca me
lavo los dientes, prefiero chicle.
Alejandra

el chicle	*chewing gum*
una gorra	*cap*
tuve que	*I had to*

1 When Jorge has a concert, first he…
   a showers.
   b does his hair.

2 Jorge…
   a usually gels his hair.
   b always gels his hair.

3 Jorge…
   a is going to sign autographs tomorrow.
   b signed autographs yesterday.

4 Alejandra…
   a rarely goes out.
   b goes out several times a week.

5 Alejandra…
   a is going to the theatre tomorrow.
   b went to the theatre yesterday.

6 Alejandra…
   a brushes her teeth twice a day.
   b never brushes her teeth.

**Imagina que eres un(a) famoso/a.
¿Cómo te preparas cuando sales de fiesta?**
*Imagine that you are a celebrity.
How do you get ready when you go to a party?*

**Trabaja en un grupo de cuatro personas.
Cada uno/a aprende su descripción del ejercicio 6
de memoria y hace una presentación.**
*Work in a group of four people. Each person learns his/her
description from exercise 6 by heart and gives a presentation.*

Cuando salgo de fiesta, …
Primero…
Luego…
A veces… , pero nunca… ¡Qué rollo!
Finalmente…
Ayer fui a…

¿Qué vas a llevar?

○ Talking about clothes
○ Saying 'this/these'

1 Escucha y escribe las <u>dos</u> o <u>tres</u> letras correctas para cada persona. (1–6)

Ejemplo: **1** b, k

¿Qué llevas normalmente los fines de semana?

a

un jersey rojo

b

un vestido morado

c

una camiseta blanca

d

una sudadera naranja

e

una falda rosa

f

una gorra verde

g

una camisa amarilla

h

unos pantalones grises

i

unos vaqueros azules

j

unos zapatos marrones

k

unas botas negras

l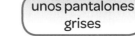

unas zapatillas de deporte de muchos colores

Pronunciación

j is a raspy sound made at the back of your throat like the Scottish 'ch' in the word 'loch' → **j**ersey, ro**j**o, naran**j**a.

z is like a 'th' sound in English – put your tongue between your teeth → **z**apatos, **z**apatillas, a**z**ul.

2 Haz un sondeo en tu clase. Pregunta a <u>diez</u> personas.

● ¿Qué llevas normalmente los fines de semana?
■ Normalmente los fines de semana llevo...

nombre	Normalmente lleva...

Gramática

Colour words are adjectives and generally follow the normal adjective patterns.

ending in...	singular		plural	
	masculine	feminine	masculine	feminine
-o	rojo	roja	rojos	rojas
-e	verde	verde	verdes	verdes
-a	rosa	rosa	rosas	rosas
consonant	marrón	marrón	marrones	marrones

>> p93

3 **Escucha. ¿Adónde van a ir? ¿Qué van a llevar? Apunta los datos en inglés. (1–4)**
Listen. Where are they going to go? What are they going to wear? Note down the details in English

Ejemplo: **1** café – yellow dress, brown boots

¿Vas a salir esta noche?	Are you going to go out tonight?
Sí, voy a ir al/a la…	Yes, I am going to go to the…
¿Qué vas a llevar?	What are you going to wear?
Voy a llevar…	I am going to wear…

Gramática

The word for 'this' or 'these' changes according to whether the noun described is masculine or feminine and singular or plural.

singular		plural	
masculine	**feminine**	**masculine**	**feminine**
este	esta	estos	estas
este jersey this sweater	**esta falda** this skirt	**estos zapatos** these shoes	**estas botas** these boots

 >> p93

Zona Cultura

This is a Mexican children's rhyme for deciding who is 'it' in a game:

'Zapatito blanco,
zapatito azul,
dime ¿cuántos años
tienes tú?
1, 2, 3, 4, 5,
6, 7, 8, 9, 10'

What do you think **zapatito** means?

---

4 **Con tu compañero/a, haz estos diálogos.**

● ¿Vas a salir esta noche?

■ Sí, voy a ir al/a la…

● ¿Qué vas a llevar?

■ Voy a llevar este/esta/estos/estas…

---

5 **Lee los textos. ¿Verdadero o falso? Escribe V o F.**

Ejemplo: **1** F

Normalmente llevo unos vaqueros y una sudadera negra, pero esta noche voy a ir al concierto de Rihanna con mis amigas. Voy a llevar un vestido verde y unas botas negras. En mi opinión, va a ser flipante. ¡Qué guay!
Liliana

Normalmente llevo una camiseta blanca, unos vaqueros y unas zapatillas de deporte con una gorra, pero esta noche voy a salir con mi familia. Vamos a ir a un restaurante y por eso voy a llevar unos pantalones negros y una camisa blanca. En mi opinión, va a ser horrible. ¡Qué rollo!
David

1 Normalmente Liliana lleva una falda.
2 Normalmente David lleva una sudadera blanca.
3 Esta noche Liliana va a ir a un concierto.
4 Esta noche David va a salir con sus amigos.
5 Liliana va a llevar un vestido y unas botas.
6 David va a llevar unos vaqueros negros y una gorra blanca.

por eso	*for this reason*

---

6 **Escribe <u>dos</u> entradas de un blog: una muy positiva, otra muy negativa. ¿Adónde vas a ir? ¿Qué vas a llevar?**

Normalmente llevo… y… con… , pero esta noche voy a ir… con… y por eso voy a llevar… y…
En mi opinión, va a ser… ¡Qué …!

Escucha y lee el texto. Pon las fotos en el orden correcto.

Ejemplo: f, …

a

b

¡Hola! Soy Rafa y vivo en Madrid. El fútbol es mi pasión y mi vida. Juego en un equipo. Soy portero y por eso llevo un uniforme especial. El fin de semana pasado jugué un partido e hice cuatro paradas.

Mi equipo favorito es el Real Madrid, por supuesto. Veo partidos dos o tres veces a la semana en la televisión. Ayer vi un partido muy bueno y comí palomitas, ¡ñam, ñam! Mi jugador favorito es Iker Casillas. En mi opinión, es guay.

Este fin de semana voy a ir al Estadio Santiago Bernabéu con mi equipo. Vamos a salir del túnel con los jugadores del Real Madrid y luego vamos a ver el partido. Voy a llevar el uniforme madridista: camiseta blanca, pantalones blancos y calcetines blancos. ¡Va a ser fenomenal!

c

d

e
x4

f

el equipo	team
el portero	goalkeeper
el partido	match
Hice cuatro paradas.	I made four saves.

Busca estos verbos en el texto.

1   I wear
2   I play
3   I watch
4   I ate
5   it is

6   I watched
7   I am going to wear
8   I played
9   we are going to watch
10   it is going to be

Zona Cultura

Football is the most popular sport in Spain.

Barcelona – 'el Barça' – and Real Madrid are the most successful clubs. Can you name any other Spanish football clubs?

Gramática

Different types of verbs work like this in the I form in the present, preterite and near future.
Train yourself to spot verbs in different tenses:

	infinitive	present	preterite	near future
regular verbs	llevar comer vivir	llevo como vivo	llevé comí viví	voy a llevar voy a comer voy a vivir
stem-changing verbs	jugar	juego	jugué	voy a jugar
irregular verbs	hacer ir ver ser	hago voy veo soy (es → it is)	hice fui vi fui (fue → it was)	voy a hacer voy a ir voy a ver voy a ser (va a ser → it is going to be)

▷▷ p93

3 **Empareja las mitades de las frases.**
Match up the sentence halves.

Ejemplo: **1** d

1	¡Hola! Me llamo Carlos	**a**	fue guay.
2	Mi pasión es	**b**	la bicicleta acrobática.
3	Salgo en bici	**c**	flipante.
4	La semana pasada	**d**	y vivo en Sevilla.
5	Hice trucos y	**e**	fui al parque con mis amigos.
6	Este fin de semana	**f**	todos los días.
7	Voy a llevar	**g**	voy a ver los 'X Games' en Barcelona.
8	Va a ser	**h**	mi sudadera 'skate'.

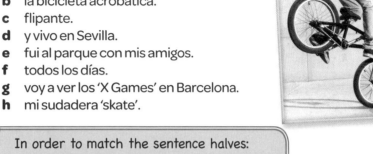

los trucos *tricks*

In order to match the sentence halves:
- think about the meaning
- look at the time markers
- look at which tense each verb is in

4 **Escucha. ¿Hablan del presente, del pasado o del futuro? Escribe 'pres', 'pas' o 'fut'. (1–6)**

Ejemplo: **1** pas

5 **Con tu compañero/a, prepara una presentación sobre Diego, Elisa o ti mismo/a. Luego, haz tu presentación.**

With your partner, prepare a presentation about Diego, Elisa or yourself. Then, give your presentation.

- ○ ¡Hola! Me llamo...
- ○ Mi pasión es...
- ○ Juego...
- ○ El año pasado fui a..., donde jugué en...
- ○ El año que viene voy a...
- ○ Va a ser...

The verbs on the profile cards are in the infinitive form (e.g. **jugar**, **ver**). You will need to put them into the correct tense and form for your presentation.

Nombre:	Diego
Pasión:	
El año pasado:	jugar en un torneo en Toledo
El año que viene:	ver un partido en Pontevedra

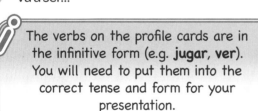

Nombre:	Elisa
Pasión:	
El año pasado:	jugar en un torneo en Ronda
El año que viene:	ver un partido en Madrid

6 **Traduce el párrafo al español.**

My passion is tennis. I play every day. Last year I went to a tournament in Madrid. It was awesome! Next weekend, I am going to play a match in Alicante. I am going to wear a white T-shirt and a cap. It is going to be great!

El baile de disfraces

○ Describing a fancy dress outfit
○ Using a dictionary

WRITING SKILLS

1 Lee el texto. Busca el equivalente de las frases en español.

Ejemplo: **1** Fuimos a un baile de disfraces estupendo.

El sábado pasado salí con mis amigos y fuimos a un baile de disfraces estupendo. Fue flipante. Fui de cavernícola. Mi amiga Carolina fue de abeja y mi amigo Rafa fue de samurái.

En el baile comimos hamburguesas y bebimos cola. Hablamos mucho y me gustó. ¡Lo pasé fenomenal!

1 We went to a brilliant fancy dress ball.
2 It was awesome.
3 I went as a cavewoman.
4 My friend Carolina went as a bee.
5 We ate hamburgers and drank cola.
6 I had a fantastic time.

Using a dictionary

When you look up nouns in the English-to-Spanish section of a dictionary, this is what you will find:

noun   masculine   noun   feminine

costume *n*
1. (= *fancy dress*) disfraz *m*

bee *n*
1. abeja *f*

2 Con tu compañero/a, busca los nombres en un diccionario.

1 vampire
2 pirate
3 clown

4 explorer
5 witch
6 wizard

3 Describe un baile de disfraces al que fuiste. Utiliza el texto del ejercicio 1 como modelo.

○ Say where you went and who with. **(El sábado pasado salí... con... y fuimos...)**
○ Say what you went as. **(Fui de...)**
○ Say what your friend went as. **(Mi amigo/a... fue de...)**
○ Say what you ate and drank. **(Comimos... y bebimos...)**
○ Give an opinion. **(Fue...)**

When you say what you went as, you don't use **un** or **una**.
Fui de bruja.   I went as a witch.

86   ochenta y seis

SKILLS

Dealing with more than one meaning

Some words have more than one meaning. If you look up 'top' in a dictionary, you find:

> **top** *n*
> 1. (= *peak*) cumbre *f*
> 2. (= *upper part*) parte *f* superior
> 3. (= *blouse*) blusa *f*

Check that you have chosen the right word by looking in the Spanish-to-English section.

The **m** or **f** tells you whether a noun is masculine or feminine, so you can work out whether to use **un** or **una**. If the word is plural, you will need **unos** or **unas**.

4 **LEER** Busca las palabras en español en el diccionario. Escribe 'un', 'una', 'unos' o 'unas' para cada palabra.

1 sock   **2** pants   **3** cape   **4** tights   **5** shorts   **6** watch

5 **LEER** Busca los adjetivos en el diccionario. Copia y completa la tabla.

| adjective | singular | | plural | |
	masculine	feminine	masculine	feminine
crazy	un vestido loco	una camisa loca	unos zapatos locos	unas botas locas
divine	un vestido divino	una camisa…	unos zapatos…	unas botas…
hideous				
outrageous				
amusing				

SKILLS

Changing adjective endings

Adjectives are always listed in the masculine singular in a dictionary. If you look up 'gorgeous', you find **precioso**.

But you may need to change the adjective ending. For example, if you want to say 'a gorgeous skirt', you need to say **una falda preciosa**, as **falda** is feminine. With other nouns, you might need a plural ending.

6 **ESCRIBIR** Traduce las frases al español.

1 I went as a witch. I wore a black dress with a long cloak.
2 I went as a pirate. I wore horrible trousers and a hideous hat.
3 I went as a clown. I wore crazy trousers, an outrageous shirt and purple socks.
4 I went as a superhero. I wore a divine cape, red pants and blue tights.

7 **ESCRIBIR** Fuiste a un baile de disfraces. Escribe un texto.

○ Describe what you normally wear at weekends. **(Normalmente los fines de semana llevo…)**
○ Say you went to a fancy dress party last Saturday. **(Pero el sábado pasado…)**
○ Say what you went as and describe what you wore. **(Fui de… Llevé…)**
○ Give an opinion. **(Fue…/Lo pasé…)**
○ Say you are going to go to another party next weekend and describe what you are going to wear. **(El fin de semana que viene voy a ir… Voy a llevar…)**

Escucha y lee los textos.

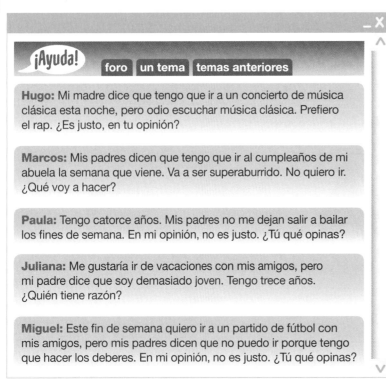

¡Ayuda!

foro   un tema   temas anteriores

Hugo: Mi madre dice que tengo que ir a un concierto de música clásica esta noche, pero odio escuchar música clásica. Prefiero el rap. ¿Es justo, en tu opinión?

Marcos: Mis padres dicen que tengo que ir al cumpleaños de mi abuela la semana que viene. Va a ser superaburrido. No quiero ir. ¿Qué voy a hacer?

Paula: Tengo catorce años. Mis padres no me dejan salir a bailar los fines de semana. En mi opinión, no es justo. ¿Tú qué opinas?

Juliana: Me gustaría ir de vacaciones con mis amigos, pero mi padre dice que soy demasiado joven. Tengo trece años. ¿Quién tiene razón?

Miguel: Este fin de semana quiero ir a un partido de fútbol con mis amigos, pero mis padres dicen que no puedo ir porque tengo que hacer los deberes. En mi opinión, no es justo. ¿Tú qué opinas?

¿Tú qué opinas?	*What do you think?*
tener razón	*to be right*
dejar	*to allow/let*

Lee los textos otra vez y contesta a las preguntas.

1 Whose mother says he has to go to a classical music concert?
2 Whose parents won't let her go dancing?
3 Whose father says she is too young to go on holiday with her friends?
4 Whose parents say he has to go to a family birthday?
5 Who thinks it isn't fair that he can't go to a football match?

Gramática

Some verbs in Spanish can be followed by a second verb in the infinitive:

odio hacer los deberes	I hate doing homework
prefiero bailar	I prefer dancing
quiero salir	I want to go out
puedo ir	I can go
me gustaría visitar	I would like to visit
tengo que ordenar mi dormitorio	I have to tidy my room

Traduce las frases al inglés. Utiliza los textos del ejercicio 1 y el minidiccionario si es necesario.

1 Mi madre dice que...
2 Mis padres dicen que...
3 Mi padre dice que soy demasiado joven.
4 Mis padres no me dejan salir.
5 En mi opinión, no es justo.
6 ¿Quién tiene razón?

4 Escucha. Apunta en inglés (a) el problema y (b) la opinión del amigo/de la amiga. (1–3)

Ejemplo: **1** (a) wants to go to party, parents won't let her, all her friends are going to go

(b) ...

5 Con tu compañero/a, haz <u>dos</u> diálogos. Una persona explica el problema, la otra da su opinión.

I want to go to a Lady Gaga concert. My parents won't let me. My dad says I am too young, but I went to a concert last year and it was amazing.

I don't want to go to my granddad's birthday – yawn. I want to go out with my friends. But my parents say I have to go. It's going to be really boring.

- ¿Tú qué opinas?
- Estoy de acuerdo   con tu madre/padre.
  con tus padres.
  contigo.
- Eres demasiado joven.
- En mi opinión, tienes razón. ¡No es justo!

6 Lee y empareja los problemas con los consejos adecuados.
Read and match the problems with the appropriate advice.

Sofía
Tengo un problema. Fui al cine con mis amigas el fin de semana pasado y volví tarde a casa. Me gustaría ir a una fiesta este fin de semana, pero ahora mi madre dice que no puedo ir. No me deja volver tarde. ¿Qué voy a hacer?

Carmen
Tengo un problema. Quiero un tatuaje, pero mi padre dice que soy demasiado joven. Tengo quince años. Me voy a hacer el tatuaje este fin de semana. ¿Qué opinas?

Hola101
Tengo un problema. Soy hijo único y, en mi opinión, mis padres son demasiado severos. No me dejan mi espacio. No puedo invitar a mis amigos a mi casa. ¡No es justo! ¿Qué puedo hacer?

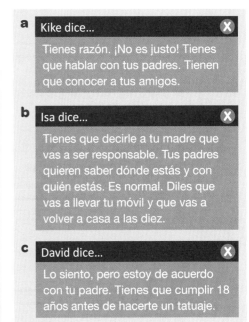

a Kike dice...
Tienes razón. ¡No es justo! Tienes que hablar con tus padres. Tienen que conocer a tus amigos.

b Isa dice...
Tienes que decirle a tu madre que vas a ser responsable. Tus padres quieren saber dónde estás y con quién estás. Es normal. Diles que vas a llevar tu móvil y que vas a volver a casa a las diez.

c David dice...
Lo siento, pero estoy de acuerdo con tu padre. Tienes que cumplir 18 años antes de hacerte un tatuaje.

7 Escribe en un foro. Inventa un problema o utiliza estas ideas.

- Tengo un problema.
- Quiero/Me gustaría..., pero...
- Mis padres no me dejan...
- Mi madre/padre dice que.../Mis padres dicen que...
- En mi opinión, no es justo.
- ¿Tú qué opinas?

I want to go to the match. I have to tidy my room.

My dad won't let me go to the cinema with my friends.

Raise the standard of your work by including examples of the preterite, the near future tense or **me gustaría**. Look at the texts in exercise 6 to see how the writers did this.

¡RESUMEN! I can...

- ● ask someone if they would like to go out — **¿Te gustaría ir al museo?**
- ● ask where and when to meet — **¿Dónde quedamos? ¿A qué hora?**
- ● say where and when to meet — **Detrás del museo, a las once.**
- ● give a positive or a negative reaction — **De acuerdo./¡Ni en sueños!**
- ■ use **me/te gustaría** + infinitive — **Me gustaría ir a la bolera.**

- ● ask someone if they want to go out — **¿Quieres salir?**
- ● say 'Sorry, I can't.' — **Lo siento, no puedo.**
- ● make excuses — **Tengo que hacer los deberes.**
- ■ use **querer** and **poder** — **No quiero ir. No puedo salir.**
- **s** use exclamations — **¡Qué rollo! ¡Qué lástima!**

- ● say what I do to get ready — **Me baño, me maquillo, me pongo gomina.**
- ■ use reflexive verbs — **Me lavo la cara y luego me visto.**
- **s** use sequencers and frequency words — **Primero…, luego…, siempre…, a veces…**

- ● say what I normally wear — **Normalmente llevo vaqueros y una camiseta.**
- ● say what I am going to wear — **Voy a llevar una sudadera verde.**
- ■ use adjectives of colour — **un vestido morado, una gorra roja, unos vaqueros azules, unas botas negras**
- ■ say 'this' and 'these' — **Voy a llevar este jersey y estos pantalones.**
- ■ use the near future tense — **¿Qué vas a llevar?**

- ● talk about sporting events — **Juego en un equipo de fútbol. Ayer jugué un partido.**
- ■ refer to the present, past and future — **Mi pasión es el tenis. El año pasado fui a un torneo. El año que viene voy a ir a Wimbledon.**

- ● describe a fancy dress outfit — **Fui a un baile de disfraces. Fui de bruja. Llevé una capa negra y un sombrero enorme.**
- **s** use a dictionary to:
    - – look up nouns from English to Spanish — **pirata, payaso, explorador**
    - – look up adjectives from English to Spanish — **loco, divino, extravagante**
    - – make sure I have chosen the right word

- ● describe problems — **Mis padres no me dejan ir de vacaciones con mis amigos.**
- ■ use structures with two verbs — **Quiero salir con mis amigas, pero tengo que ordenar mi dormitorio.**
- **s** give and ask for opinions — **En mi opinión, no es justo. ¿Tú qué opinas?**
- **s** say who I agree with — **Estoy de acuerdo contigo. No es justo.**

¡PREPÁRATE!

1 Escucha. Escribe las letras en el orden correcto para cada persona. (1–2)

Ejemplo: **1** b, …

a **b** **c** **d** **e**

f **g** **h** **i**

2 Con tu compañero/a, haz <u>dos</u> diálogos.

● ¿Qué llevas normalmente?
■ Normalmente llevo…
● ¿Qué vas a hacer este fin de semana?
■ Voy a ir al/a la…
● ¿Qué vas a llevar?
■ Voy a llevar…

	Normalmente…	Este fin de semana…
1		restaurante
2		bolera

unos pantalones cortos *shorts*

3 Lee el mensaje. Completa las frases en inglés.

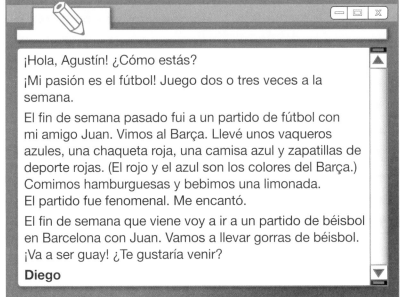

¡Hola, Agustín! ¿Cómo estás?

¡Mi pasión es el fútbol! Juego dos o tres veces a la semana.

El fin de semana pasado fui a un partido de fútbol con mi amigo Juan. Vimos al Barça. Llevé unos vaqueros azules, una chaqueta roja, una camisa azul y zapatillas de deporte rojas. (El rojo y el azul son los colores del Barça.) Comimos hamburguesas y bebimos una limonada. El partido fue fenomenal. Me encantó.

El fin de semana que viene voy a ir a un partido de béisbol en Barcelona con Juan. Vamos a llevar gorras de béisbol. ¡Va a ser guay! ¿Te gustaría venir?

Diego

1 Diego plays football ——.
2 Last weekend Diego and Juan ——.
3 Diego wore ——.
4 They ate —— and drank ——.
5 Next weekend, Juan and Diego are going to go ——.
6 They are going to wear ——.

4 Fuiste a un partido la semana pasada. Descríbelo. Utiliza el mensaje del ejercicio 3 como modelo. Cambia los detalles.

○ Say what sport you play and how often.
○ Say what type of match you went to and who with.
○ Say what you wore.
○ Say what you ate and drank.
○ Give an opinion.
○ Say what you are going to do next weekend.

Stem-changing verbs

Querer (to want) and **poder** (to be able to/can) are stem-changing verbs. Some people call these 'boot' verbs. They are usually followed by an infinitive.

qu**ie**ro	I want	qu**e**remos	we want
qu**ie**res	you want	qu**e**réis	you (plural) want
qu**ie**re	he/she wants	qu**ie**ren	they want

p**ue**do	I can	p**o**demos	we can
p**ue**des	you can	p**o**déis	you (plural) can
p**ue**de	he/she can	p**ue**den	they can

1 Write the correct form of the verb each time, then translate the passage into English.

Example: **1** puedo

Lo siento, no **1** (poder, I) salir hoy porque tengo que cuidar a mis hermanos. ¡Qué rollo! Pero **2** (querer, I) ir al concierto mañana. ¿**3** (Querer, you sg) venir a mi casa y luego **4** (poder, we) ir juntos? Mi hermana **5** (querer, she) ir también.

2 Translate the sentences into Spanish.

1 She wants to go to the sports centre.
2 They can go out at seven o'clock.
3 We can go to the bowling alley later.
4 I want to do my homework.
5 You (singular) can wear jeans.
6 They want to go to the cinema.

Reflexive verbs

Reflexive verbs include a reflexive pronoun because they are often actions you do to yourself.

duchar**se**   to have a shower

me ducho	I have a shower	**nos** duchamos	we have a shower
te duchas	you have a shower	**os** ducháis	you (plural) have a shower
se ducha	he/she has a shower	**se** duchan	they have a shower

3 Match the sentence halves, then find the correct picture for each sentence.

Example: **1** Primero me lavo la cara. f

1	Primero me	ponemos gomina.
2	Mi padre	se maquillan todos los días.
3	Mis hermanas	te preparas cuando sales
4	Nos	de fiesta?
5	¿Cómo	se ducha por la mañana.
6	¿Nunca os	bañáis? ¡Qué horror!
		lavo la cara.

a
b
c
d
e
f

Adjective endings

Colour adjectives generally follow the usual patterns of adjectival agreement. They come after the noun they describe:

una camiseta negra = a black T-shirt
unos zapatos negros = black shoes

ending in...	singular		plural	
	masculine	**feminine**	**masculine**	**feminine**
-o	amarillo	amarilla	amarillos	amarillas
-e	verde	verde	verdes	verdes
-a	naranja	naranja	naranjas	naranjas
consonant	azul	azul	azules	azules

4 Write the catalogue description for the following items.

Example: **1** un jersey morado

1   **2**   **3**   **4**   **5**   **6**

This/These

The word for 'this' or 'these' changes according to whether the noun described is masculine or feminine and singular or plural.

singular		plural	
masculine	**feminine**	**masculine**	**feminine**
este **vestido**	esta **camiseta**	estos **zapatos**	estas **zapatillas**
this dress	this T-shirt	these shoes	these trainers

5 Copy out the dialogue and insert the correct words for 'this' and 'these'.

● ¿Vas a ir a la fiesta esta noche, Sofía? ¿Qué vas a llevar?

■ Voy a llevar **1**—— jersey negro con **2**—— falda naranja y **3**—— botas negras. ¿Y tú, Maite?

● Voy a llevar **4**—— vaqueros con **5**—— camisa y **6**—— sudadera. Y voy a ponerme **7**—— zapatillas. ¡Ah sí, y **8**—— gorra!

Referring to the present, past and future

Regular and irregular verbs take different endings in different tenses. Follow the rules for each tense and always check endings in the verb tables on pages 130–132 if you are in doubt.

6 Choose the right verb for each context. Write whether it is present (pres), preterite (pret) or near future (fut).

Example: **1** vivo (pres)

¡Hola! Me llamo Rocío y **1** *vivo/viví/voy a vivir* en Bilbao. Mi pasión **2** *es/fue/va a ser* el béisbol. Normalmente **3** *juego/jugué/voy a jugar* cuatro veces a la semana. El año pasado **4** *voy/fui/voy a ir* a un torneo de béisbol en Madrid. **5** *Veo/Vi/Voy a ver* un partido muy interesante. El año que viene **6** *voy/fui/voy a ir* a Nueva York con mi padre. **7** *Llevo/Llevé/Voy a llevar* mi camiseta de los New York Yankees. **8** *Es/Fue/Va a ser* guay.

¡PALABRAS!

¿Te gustaría ir al cine?   Would you like to go to the cinema?

¿Te gustaría ir...?	Would you like to go...?	al parque	to the park
a la bolera	to the bowling alley	a la pista de hielo	to the ice rink
a la cafetería	to the café	al polideportivo	to the sports centre
al centro comercial	to the shopping centre	¿Te gustaría venir a	Would you like to come to
al museo	to the museum	mi casa?	my house?

Reacciones   Reactions

De acuerdo.	All right.	¡Ni hablar!	No way!
Vale.	OK.	¡Ni en sueños!	Not a chance!/Not in your
Muy bien.	Very good.		wildest dreams!
¡Genial!	Great!	No tengo ganas.	I don't feel like (it).
Sí, me gustaría mucho.	Yes, I'd like that very	¡Qué aburrido!	How boring!
	much.		

¿Dónde quedamos?   Where do we meet up?

al lado de la bolera	next to the bowling alley	enfrente del	opposite the sports
delante de la cafetería	in front of the café	polideportivo	centre
detrás del centro	behind the shopping	en tu casa	at your house
comercial	centre		

¿A qué hora?   At what time?

a las...	at...	seis y media	half past six
seis	six o'clock	siete menos cuarto	quarter to seven
seis y cuarto	quarter past six	siete menos diez	ten to seven

Lo siento, no puedo   I'm sorry, I can't

¿Quieres salir?	Do you want to go out?	pasear al perro	walk the dog
Tengo que...	I have to...	salir con mis padres	go out with my parents
cuidar a mi hermano	look after my brother	No quiero.	I don't want to.
hacer los deberes	do my homework	No tengo dinero.	I don't have any money.
lavarme el pelo	wash my hair	No puede salir.	He/She can't go out.
ordenar mi dormitorio	tidy my room		

¿Cómo te preparas?   How do you get ready?

¿Cómo te preparas	How do you get ready	Me visto.	I get dressed.
cuando sales de fiesta?	when you go to a party?	Me maquillo.	I put on make-up.
Me baño.	I have a bath.	Me peino.	I comb my hair.
Me ducho.	I have a shower.	Me aliso el pelo.	I straighten my hair.
Me lavo la cara.	I wash my face.	Me pongo gomina.	I put gel on my hair.
Me lavo los dientes.	I brush my teeth.		

¿Qué vas a llevar?   What are you going to wear?

¿Qué llevas normalmente los fines de semana?	What do you normally wear at weekends?	una gorra	a cap
Normalmente los fines de semana llevo...	At weekends I normally wear...	unos pantalones	some trousers
		unos vaqueros	some jeans
una camisa	a shirt	unas botas	some boots
una camiseta	a T-shirt	unos zapatos	some shoes
un jersey	a jumper	unas zapatillas de deporte	some trainers
una sudadera	a sweatshirt	¿Vas a salir esta noche?	Are you going to go out tonight?
una falda	a skirt	Voy a ir al/a la...	I am going to go to the...
un vestido	a dress	Voy a llevar...	I'm going to wear...

Los colores   Colours

amarillo/a	yellow	naranja	orange
azul	blue	negro/a	black
blanco/a	white	rojo/a	red
gris	grey	rosa	pink
marrón	brown	verde	green
morado/a	purple	de muchos colores	multi-coloured

¡No es justo!   It's not fair!

Estoy de acuerdo...	I agree...	Eres demasiado joven.	You're too young.
con tu madre/padre	with your mother/father	En mi opinión, tienes razón.	In my opinion, you're right.
con tus padres	with your parents		
contigo	with you	¿Tú qué opinas?	What do you think?

Palabras muy frecuentes   High-frequency words

al/a la	to the	este/esta/estos/estas	this/these
del/de la	of the	por eso	for this reason
demasiado/a	too (much)	por supuesto	of course
demasidos/as	too many	¡Lo pasé fenomenal!	I had a fantastic time!

Estrategia 4

Finding the right word

Be careful not to choose the wrong Spanish word when you use a dictionary.

Make sure you:

1   Look up the correct spelling of the English word (e.g. meet/meat, pair/pear).
2   Look for dictionary abbreviations (*vt*, *nm*, *nf*, etc. – see page 86). If it's a noun you want, don't choose a verb (e.g. a watch/to watch).
3   Look at any example sentences given.
4   Double-check the Spanish word in the Spanish–English half of the dictionary.

Find the correct Spanish translations of these items of clothing in a dictionary:
* tie   * cap   * trainers   * suit   * dress

¡Desfile de moda!

- Describing outfits
- Giving a fashion show in Spanish

Escucha y lee el texto.

1 A ver... primero, José va a llevar estos vaqueros con esta chaqueta de cuero y estas botas negras. Me encanta este look.

2 Luego, Daniela va a llevar este vestido rojo con estos zapatos negros. Es un look muy elegante. ¡Qué divino!

3 Después, Pau va a llevar estos pantalones blancos con esta camiseta azul y estas zapatillas de deporte. ¡Qué guay! Son preciosas.

4 Y finalmente, Adriana va a llevar esta falda rosa y este jersey naranja con estas botas blancas. ¡Guau!

Más tarde...

5 Buenas tardes señoras y señores, y bienvenidos a nuestra nueva colección. Primero está José, con unos vaqueros sensacionales y una chaqueta de cuero. Me chifla este look.
¡Y las botas! ¡Guau! ¡Perfecto!

6 Luego viene Daniela. Daniela lleva un vestido rojo con...

de cuero	leather
me chifla...	I love (slang)...
¡Guau!	Wow!

Gramática

	singular		plural	
	masculine	**feminine**	**masculine**	**feminine**
this/these	este jersey	esta gorra	estos pantalones	estas botas
a/some	un vestido	una camisa	unos zapatos	unas zapatillas

▷▷ p93

Termina el guión para el desfile de moda.
Complete the script for the fashion show.

Ejemplo: **1** un

Juego de memoria. Cierra el libro. Con tu compañero/a, pregunta y contesta.

● ¿Qué va a llevar <u>Adriana</u>?

■ Va a llevar <u>una falda rosa</u>, <u>un jersey naranja</u> y...

Primero está Daniela. Daniela lleva **1**——— vestido rojo con **2**——— zapatos negros. Es un look muy elegante.

Después, Pau lleva **3**——— pantalones blancos con **4**——— camiseta azul y **5**——— zapatillas de deporte. Son preciosas.

Y finalmente, Adriana lleva **6**——— falda rosa y **7**——— jersey naranja con **8**——— botas blancas.

4 Escucha. Escribe las letras correctas para cada persona. (1–2)

Ejemplo: **1** o, …

a
unas botas militares

b
unos pantalones caquis

c
unos vaqueros

d
una mochila negra

e
unos zapatos marrones

f
una blusa blanca

g
unas gafas de sol redondas

h
un jersey grande

i
un sombrero elegante

5 Con tu compañero/a describe estos looks. Da tu opinión.

Silvia/Felipe lleva… con…		
Me encanta… Me chifla… Me gusta muchísimo…	este look.	Es sensacional. Es perfecto. Es muy elegante. Es muy original. ¡Qué divino!
No me gusta nada… Odio…		No está muy de moda. Es horrible. ¡Qué feo!

Silvia   Felipe

6 Trabaja en un grupo de cuatro personas. Escribe un guión para tu desfile de moda.

○ Decide who will play the two models and what they will be wearing.
○ Decide who will play the designer.
○ Decide who will play the host.
○ Write your script. Base the script on the story in exercise 1, but change the details.

Part 1
The models use the near future tense to describe what they are **going to** wear.
Model 1: Voy a llevar… con… y…

Part 2
The designer uses the near future to talk about what each model is **going to** wear and gives opinions .
Designer: A ver… primero… **va a** llevar… Me chifla este look. ¡Qué divino!

Part 3
The host uses the present tense as the models come out onto the catwalk.
Host: Primero **viene**… **Lleva**… con…

7 Aprende tu papel. Trabaja en tu grupo. ¡Haz tu desfile de moda!
Learn your role. Work in your group. Perform your fashion show!

Pronunciación
que is pronounced 'keh' and **qui** is pronounced 'kee':
Lleva unos va**que**ros ca**qui**s con una cha**que**ta.
¡**Qué** divino!

¡MODULE 5!

Operación verano

1 'La Ciudad de las Artes y las Ciencias' está en Valencia. ¿Qué es?

a un hotel
b una estación
c un museo
d un instituto

2 Esta calle de Barcelona se llama 'Las Ramblas'.
¿Cuáles de estas actividades **no** puedes hacer en Las Ramblas?

a jugar al golf
b tomar un café
c ir de compras
d hacer esquí
e ver estatuas humanas

3 En el Estadio Santiago Bernabéu en Madrid,
las **dos** actividades principales son...

a ver un partido de fútbol.
b ver un partido de baloncesto.
c ver un partido de béisbol.
d ver un concierto.

4 En el Prado, en Madrid, puedes...

a cenar.
b ver cuadros de artistas famosos.
c escuchar música.
d comprar zapatos.

5 Esta estatua enfrente del Museo Guggenheim de Bilbao es...

a un gato.
b un conejo.
c una cobaya.
d un perro.

6 ¿Cuál de estas islas **no** es una isla española?

a Mallorca

c Madeira

MALLORCA
• Palma

MADEIRA
• Funchal

Many Spanish children go off to summer camps over the summer holidays. These come in many shapes and sizes. There are science camps, language programmes and camps based on activities and sports. Would you like to go to a summer camp? What type of camp would you choose?

Santa Cruz

TENERIFE

LA PALMA
• Los Llanos

d La Palma

b Tenerife

¿Qué casa prefieres?

- Describing a holiday home
- Discovering more about the comparative

Lee los textos. Luego escucha. ¿Qué casa prefieren? Escribe la letra correcta. (1–3)

Casas de vacaciones

a Esta casa es muy grande.

Está cerca de la playa y tiene vistas al mar.

Tiene cinco dormitorios, dos cuartos de baño, una cocina y un comedor.

b Esta casa es muy moderna.

Está en el centro. Tiene un salón cómodo, tres dormitorios y un cuarto de baño con jacuzzi.

c Esta casa es muy antigua.

Está en la montaña. Tiene una cocina bonita, un salón con chimenea, dos dormitorios y una terraza. También tiene un jardín con piscina.

> esta casa → **this** house
>
> est**á** cerca de la playa → **it is** near the beach
>
> The accent alters the meaning and changes the stress. Look out for this!

> **cómodo**   comfortable

Busca el equivalente en español de estas palabras en los textos del ejercicio 1. Utiliza el minidiccionario si es necesario.

Ejemplo: **1** un salón

1 a living room
2 five bedrooms
3 a bathroom
4 a garden
5 a terrace
6 a kitchen
7 a dining room
8 with a hot tub

Con tu compañero/a, describe las casas.

Ejemplo:

● **Esta casa es muy <u>bonita</u> y...**

■ **Está en...**

● **Tiene <u>dos dormitorios</u>, ...**

a

b

4 Escucha y completa las frases. (1–6)

Ejemplo: **1** cómodo

Me gusta este piso porque, en mi opinión, es más **1** —— que los otros.

Ángel

Me gusta esta casa porque, en mi opinión, es más **2** —— que las otras.

Miguel

Me gusta este piso porque, en mi opinión, es más **3** —— y más **4** —— que los otros.

Camila

Prefiero esta casa porque, en mi opinión, es menos **5** —— y menos **6** —— que las otras.

Lola

grande   antiguo   cómodo   moderna   bonita   fea

 5 Lee los textos. ¿Verdadero o falso? Escribe V o F.

1

Mi castillo es mucho más interesante que las casas tradicionales. No es nada aburrido. Tiene una cocina grande, un comedor enorme y un jardín privado.
Drácula

Gramática

You use the comparative to say that something is 'more modern' or 'bigger', and so on, than something else.

más + adjective + **que** → more… than
menos + adjective + **que** → less… than

The adjective must agree with the noun.

Este piso es más moderno que los otros.
This flat is more modern than the others.

>> p114

2

Mi palacio es más amplio que el palacio del Rey de España. Tiene veinte dormitorios, un salón muy cómodo, unas terrazas maravillosas y una piscina bonita.
Doña Jimena

3

Mi cueva es bastante pequeña y menos moderna que una casa pero, en mi opinión, es muy cómoda. Tiene un dormitorio y una cocina, pero no tiene cuarto de baño. La verdad es que casi nunca me baño…
Gonzalo el Gnomo

1   El castillo de Drácula es mucho más aburrido que las casas tradicionales.
2   El castillo de Drácula tiene una cocina pequeña y un comedor pequeño.
3   El palacio de Doña Jimena es más grande que el palacio del Rey de España.
4   La cueva de Gonzalo el Gnomo es más antigua que una casa normal.
5   La cueva de Gonzalo el Gnomo es menos grande que una casa normal.

 6 Con tu companero/a, haz <u>tres</u> diálogos. Compara las casas del ejercicio 5.

Ejemplo:
● **¿Qué casa prefieres?**
■ Prefiero la casa de <u>Drácula</u> porque es <u>más interesante</u> que <u>las otras</u>.
● **Estoy de acuerdo./No estoy de acuerdo. Prefiero… porque…**

 7 Eres una persona famosa y vives en una casa enorme. Escribe una descripción.

Mi casa es más grande que la casa de Lady Gaga. Tiene…

¿Qué se puede hacer en...?

o Describing holiday activities
o Using the superlative

Escucha y escribe las letras correctas. (1–8)

Ejemplo: **1** e

¿Qué se puede hacer en Mallorca?   Se puede(n)...

ir de paseo en bicicleta

ir al restaurante

ir a la playa

visitar el Castillo de Bellver

jugar al golf

ver la catedral

hacer senderismo

hacer actividades náuticas

Traduce las frases al español. Adapta las frases del ejercicio 1.

Ejemplo: **1** Se puede ir al cine.

1 You can go to the cinema.
2 You can play tennis.
3 You can do martial arts.
4 You can go to the bowling alley.
5 You can play volleyball.
6 You can go shopping.

> **Se puede** and **se pueden** mean 'you can'. They are usually followed by an infinitive.
>
> Use **se puede** with singular nouns:
> **Se puede** ver la catedral.
> **You can** see the cathedral.
>
> Use **se pueden** with plural nouns:
> **Se pueden** hacer actividades náuticas.
> **You can** do water sports.

Con tu compañero/a, haz <u>dos</u> diálogos.

● **¿Qué se puede hacer en <u>Capdepera</u>?**

■ **En Capdepera se puede <u>ir al restaurante</u>, ... y también se puede(n)...**

Capdepera

Magaluf

4 Escucha y lee. Empareja las fotos con las descripciones.

Mallorca: el destino turístico más importante de España
¿Qué se puede hacer en Mallorca?

1 Se puede visitar Aqualand, el parque acuático más grande de Mallorca.

2 Se pueden visitar las cuevas más famosas y más hermosas del Mediterráneo.

3 Se puede ir de compras en el Passeig des Born, la calle más importante y más comercial de Palma.

4 Se pueden ver los tiburones más feroces en el acuario más profundo de Europa.

Gramática

You use the superlative to say **'the biggest'**, **'the most** famous', and so on.

el **parque más grand**e	the biggest park
las **playas más hermos**as	the most beautiful beaches

>> p114

5 Busca el equivalente de estas frases en español en el texto del ejercicio 4.

1 the biggest aquapark
2 the deepest aquarium
3 the most important tourist destination
4 the most famous and most beautiful caves
5 the most important and most commercial street

6 Escucha. ¿Qué van a hacer? Apunta en inglés el día y la(s) actividad(es). (1–5)

Ejemplo: **1** Monday: visit caves

7 Elige un destino turístico. ¿Qué se puede hacer allí? Escribe una descripción.
Choose a tourist destination. What can you do there? Write a description.

Ejemplo:

> ¿Qué se puede hacer en <u>Londres</u>?
> Se puede <u>ir de compras en Oxford Street, la calle más importante de Londres</u>.
> También se puede(n) <u>visitar</u>… donde se puede(n) <u>ver</u>…

 ¿Dónde está?

1 **Escucha y escribe las letras correctas. (1–6)**

Ejemplo: **1** b, i

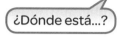 ¿Dónde está...?

a el parque de atracciones

b el zoo

c el minigolf

d  la pista de karting

e la catedral

f la estación de tren

g Sigue todo recto.

h Dobla a la derecha.

i Dobla a la izquierda.

j Toma la primera a la derecha.

k Toma la segunda a la izquierda.

l Cruza la plaza.

m Está a la derecha.

n Está a la izquierda.

2 **Juega con tu compañero/a. Cada uno/a tira un dado, pregunta y contesta.**

Ejemplo:

● **Perdón. ¿Dónde está <u>el zoo</u>, por favor?**

■ <u>Dobla a la izquierda.</u>

Pronunciación

Do you remember the pronunciation rule for **z**orro from Libro 1? **z** is pronounced 'th' in Spanish.
Practise the following:
¿Dónde está el **z**oo?
Cru**z**a la pla**z**a. Está a la i**z**quierda.

●

■

3 **Corrige los errores en las instrucciones.**

Ejemplo: **1** Straight on, turn <u>right</u>.

1 Straight on, turn left.
2 Cross the square, it's on the right.
3 Take the second on the right, it's on the right.
4 Take the first on the right, it's on the left.
5 Take the first on the right, cross the square, it's on the right.

Gramática

You use the imperative to tell someone what to do. Take the **tú** form of the verb in the present tense and take off the 's'.

doblas (you turn) → **¡dobla!** (turn!)
tomas (you take) → **¡toma!** (take!)

>> p115

Escucha y completa la canción. Luego canta.

Ejemplo: **1** la playa

Perdón, estoy perdido...
¡No puede ser!
¡Ah, sí! Estoy perdido.
(¿De verdad?)
¿Qué voy a hacer?

¿Dónde está **1**——?
¿Dónde está **2**——?
¿Dónde está mi hotel?
¿O **3**—— acuático?

Perdón, estoy perdido...
¡No puede ser!
¡Ah, sí! Estoy perdido.
(¡Qué lástima!)
¿Qué voy a hacer?

¿Dónde está **4**——?
¿O **5**——?
¿Dónde está el puerto?
¿O **6**——?

Perdón, estoy perdido...
¡No puede ser!
¡Ah, sí! Estoy perdido.
(¿De verdad?)
¿Qué voy a hacer?

No sé dónde estoy...

¿De verdad?	*Really?*
el puerto	*port*

**Elige un destino. Da instrucciones.
Tu compañero/a dice dónde está.**
*Choose a destination. Give directions.
Your partner says where he/she is.*

Ejemplo:

● **Sigue todo recto. Toma la primera
a la derecha. ¿Dónde estás?**
■ **Estoy en el parque de atracciones.**

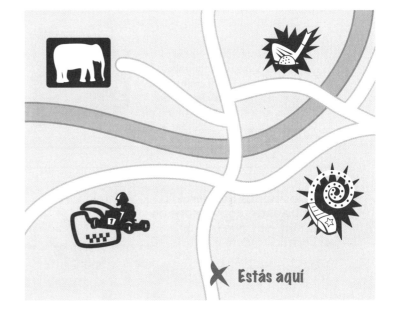

✗ **Estás aquí**

Lee los mensajes. Dibuja un plano de cada camino.
Read the messages. Draw a plan of each route.

a
Vamos a ir al parque acuático mañana.
Quedamos enfrente del parque acuático
a las once, ¿de acuerdo? Desde la estación
de autobuses, sigue todo recto y luego toma
la segunda a la izquierda. El parque acuático
está a la derecha. ¡Va a ser flipante!
¡Hasta luego!

b
Vamos a ver el partido de fútbol mañana.
Quedamos delante del estadio a las diez
y media, ¿de acuerdo? Desde la estación
de tren, sigue todo recto y luego toma la
primera a la derecha. Toma la segunda a
la derecha y el estadio está a la izquierda.
¡Va a ser fenomenal!
¡Adiós!

Escribe un mensaje. Utiliza los mensajes del ejercicio 6 como modelo.

○ Say what you are going to do tomorrow.
○ Suggest a meeting place and time.

○ Give directions from the bus or train station.
○ Say it will be fun.

¡4! Campamentos de verano

○ Talking about summer camps
○ Learning more about using three tenses

Escucha y lee los textos. ¿Qué campamento de verano van a escoger?
Listen to and read the texts. Which summer camp are they going to choose?

escoger	to choose
disfrutar de	to enjoy
un montón de	loads of

1 Alba **2** Samuel **3** Marta **4** Lucas

ⓐ Gredos 398€ 7 a 14 años
Campamento de naturaleza – un campamento de verano en plena naturaleza

Vas a hacer senderismo, montar a caballo, hacer escalada, ir de pesca y dormir en tiendas de campaña.

ⓒ Navatormes 418€ 12 a 17 años
Campamento de verano – inmersión lingüística

Vas a hacer cursos de inglés y a disfrutar de un montón de actividades. También vas a ir de excursión, todo en inglés. ¡Mucha diversión!

ⓑ Santander Surf 10 días 498€ 13 a 17 años
Campamento de surf – un curso de surf de diez días

Vas a hacer surf y windsurf. También vas a hacer vela y piragüismo. Vas a disfrutar de actividades en la playa y de una visita al Parque Natural de Cabárceno.

ⓓ Madrid 488€ 13 a 16 años
Campamento artístico

¿Te gusta cantar y bailar? Vas a hacer clases de coreografía, vas a cantar y a tocar instrumentos. ¡Qué guay! También vamos a visitar museos, pintar y hacer teatro.

② Mira los textos del ejercicio 1. Escribe estas actividades en español. Hay que incluir el verbo.

Ejemplo: **1** hacer windsurf

1 **2** **3** **4** **5**

6 **7** **8** **9** **10**

Haz un sondeo en tu clase. Pregunta a <u>diez</u> personas.

Ejemplo:
● **¿Qué campamento de verano vas a escoger?**
■ A ver... voy a escoger el campamento de <u>naturaleza</u>.
● **¿Por qué?**
■ Bueno... porque me gusta <u>hacer senderismo</u>, eh... me encanta <u>ir de pesca</u> y me gustaría mucho <u>hacer escalada</u>.

SKILLS
Use fillers to play for time:
pues...
a ver...
eh...
bueno...
no sé...
depende...

| **Me gusta...** | I like... | **Me gustaría mucho...** | I would really like... |
| **Me encanta...** | I love... | **Me encantaría...** | I would love... |

Lee el texto. Completa el texto con los verbos del cuadro.

Ejemplo: **1** fui

El año pasado **1**━━ a un campamento de verano en Santander. El primer día tuve miedo, pero luego **2**━━ a unos chicos simpáticos y **3**━━ guay. Soy bastante deportista y normalmente los sábados **4**━━ al fútbol y al voleibol. Pero en el campamento de verano hicimos cosas estupendas. Hicimos vela y también **5**━━ piragüismo. Un día fuimos de pesca y el último día **6**━━ de excursión.

El año que viene voy a ir a un campamento científico, donde **7**━━ muchos experimentos. **8**━━ genial.

Adrián

voy a hacer	fuimos
Va a ser	juego
fue	conocí
fui	hicimos

Tuve miedo. *I was frightened.*

First, work out which tense each verb in the box is in. Then look at the other verbs and time markers in the text. They will give you a clue about which verb from the box to choose.

Escucha y comprueba tus respuestas.

Pronunciación

The **trema** over the letter **u** (**ü**) changes the sound to 'w'.

piragüismo → pi-ra-g**w**is-mo
lingüística → lin-g**w**is-ti-ca

Imagina que fuiste a un campamento de verano el año pasado.
Prepara una presentación sobre tu experiencia.

- Give your name and age and say what you like. **(Me llamo… y tengo… años. Me gusta… y me encanta…)**
- Say that last year you went to summer camp. **(El año pasado fui a un campamento de verano en…)**
- Give details about what activities you did there.
  (En el campamento hice/jugué/fui/canté/monté… y también… Un día hicimos/fuimos…)
- Say what it was like. **(Fue…)**
- Say what you are going to do next summer and give a reason.
  (El verano que viene voy a… porque me gusta… y me gustaría…)
- Say what it's going to be like. **(Va a ser…)**

Escribe un anuncio para un campamento de verano en Gran Bretaña.

Ejemplo:

Gales
Campamento de naturaleza
Vas a ir de pesca, montar a caballo y hacer escalada…

LISTENING SKILLS

① Copia y pon las expresiones sobre la línea del tiempo.
Copy out and put the expressions on the time line.

hoy

pasado — presente — futuro

hoy
ayer
mañana
el fin de semana pasado
el año pasado
este fin de semana
hace dos años
el año que viene

> **SKILLS**
>
> **Listening for time expressions**
>
> Train yourself to listen for time expressions. They often give you a signal as to which tense you are going to hear being used. Which tense would you expect to hear being used with each time expression in exercise 1?

② Escucha. José está en Latinoamérica. ¿Cuándo visitó o va a visitar estos destinos? Escribe las letras correctas.
Listen. José is in Latin America. When did he visit or is he going to visit these destinations? Write the correct letters.

Ejemplo: **1** c

México

Guatemala

Honduras

Nicaragua

Panamá

a el año pasado   **d** hoy
b el año que viene   **e** el fin de semana pasado
c hace dos años

③ Empareja las mitades de las frases.

Ejemplo: **1** b

1 Hace tres años…   **a** visitar Venezuela.
2 El fin de semana pasado fui…   **b** fui a Costa Rica.
3 Ayer visité…   **c** un castillo en Montevideo, la capital de Uruguay.
4 Hoy…   **d** voy a ir a Argentina.
5 Este fin de semana…   **e** estoy en Perú.
6 El año que viene voy a…   **f** a Chile.

④ Escucha y comprueba tus respuestas.

5 Escucha. Copia la tabla y escribe las letras en la columna correcta. (1–4)

	pasado	presente	futuro
1	d, …		

a  **b**  **c**   **d**

e   **f**  **g**   **h**

SKILLS

Listening for verb tenses

If the speaker does not use a time expression, listen carefully for the tense each verb is in to work out whether the speaker is referring to the past, present or future.

6 Escucha. ¿Qué actividades hicieron Carlos y su familia? ¿Cómo fue y por qué? Copia y completa la tabla en español.

1 Carlos **3** su madre **5** su hermano
2 su padre **4** su hermana

	actividades	opinión y razones
Carlos	Fue a la playa, a la cafetería y a la discoteca.	

SKILLS

Listening for points of view

Tackling challenging listening may involve recognising people's points of view. Listen out for people's attitudes and for the reasons attached to opinions. Listen for tone of voice as well, and ask yourself whether the point of view is positive or negative.

7 Escucha. ¿De qué foto se trata? Escribe la letra correcta. (1–4)

Ejemplo: **1** a

1

a  **b**

2

a  **b**

3

a  **b**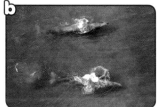

4

a  **b**

SKILLS

Listening for the gist

Challenging listening passages may contain unfamiliar language. Use common sense, context and questions to help you. Try to understand the gist – you don't need to understand every word!

¡EXTENSION!

De vacaciones en España

Escucha y lee los textos. Empareja los dibujos con el texto correcto.

1 Ibiza

Ibiza tiene las mejores playas de España, pero Ibiza es mucho más que sol y mar. La noche de Ibiza es la mejor del mundo: discotecas, mercadillos hippies, actividades al aire libre, conciertos… Además, en el interior de la isla hay pueblos bonitos que se pueden descubrir. Y si quieres jugar al golf, Ibiza es la mejor opción con sus campos de golf impresionantes.

2 Los Picos de Europa

El Parque Nacional Picos de Europa es el mejor parque de España y la reserva natural mejor conservada del sur de Europa. Hay muchas actividades que se pueden practicar aquí. ¿Cuál es mejor? ¿Hacer piragüismo en el río Sella o montar en bicicleta de montaña? Si te gusta montar a caballo, ir de pesca, hacer senderismo o escalada, los Picos de Europa te esperan.

a   **b**   **c**   **d**  **e** **f**

> Try to focus on what you can understand in a text rather than what you can't. With a partner, find ten words in the texts above that you were able to work out for yourselves.

Gramática

To say 'better' or 'the best' and 'worse' or 'the worst' in Spanish, you use **mejor** and **peor**.

In the **comparative** (better, worse), they work like this:

Ibiza es **mejor** que los Picos de Europa.	Ibiza is **better** than the Picos de Europa.
La comida en Ibiza es **peor** que la comida en Madrid.	The food in Ibiza is **worse** than the food in Madrid.

In the **superlative** (the best, the worst), they work like this:

El mejor parque de España.	**The best** park in Spain.
Fue **la peor** experiencia de mi vida.	It was **the worst** experience of my life.

Busca el equivalente de estas expresiones en español en los textos del ejercicio 1.

Ejemplo: **1** la mejor del mundo

1 the best in the world
2 the best park in Spain
3 the best preserved nature reserve
4 Which is better?
5 the best beaches in Spain

Escucha. Copia y completa la tabla en español. (1–3)

	destino	opinión 🙂 / 🙁	razón
1	los Picos de Europa		

Lee los textos. ¿Verdadero o falso? Escribe V o F.

Cuando voy de vacaciones, me gusta mucho conocer a gente. No me gusta nada ir de excursión. No quiero hacer actividades. Prefiero ir a la playa y salir por la noche. Quiero descansar un poco en general.
Lola

Me gusta mucho ir a la playa, pero también me gusta ir a museos y me gustan mucho los parques de atracciones. Mi pasión es la pintura. El año pasado fui a un campamento artístico y fue genial.
Pilar

Soy muy deportista. Me gusta la aventura y me encanta la naturaleza. No me gusta nada hacer turismo en una ciudad. ¿Visitar monumentos? ¡No, gracias! ¡Qué aburrido!
Simón

Cuando voy de vacaciones, quiero visitar monumentos, pero también quiero descansar en la playa. Creo que soy tranquilo. Me encanta coleccionar cosas. Tengo un hermano menor, Hugo. A él le gustan los animales, así que cuando estamos de vacaciones, tratamos de encontrar un zoo.
Daniel

1 Cuando Lola va de vacaciones, quiere hacer nuevos amigos.
2 Cuando Pilar va de vacaciones, quiere hacer actividades culturales.
3 Cuando Simón va de vacaciones, le encanta visitar ciudades interesantes.
4 Cuando Daniel va de vacaciones, le gusta relajarse en la playa.
5 Cuando Pilar fue al campamento artístico, lo pasó fatal.
6 Cuando Daniel va de vacaciones con su familia, generalmente van al jardín botánico.

Con tu compañero/a, pregunta y contesta: ¿adónde vas a ir? ¿a Ibiza? ¿o a los Picos de Europa? Explica tu decisión. Utiliza las frases del cuadro y adapta frases y expresiones del ejercicio 4.

With your partner, ask and answer: where are you going to go? To Ibiza? Or to 'Los Picos de Europa'? Explain your decision. Use the phrases from the box and adapt phrases and expressions from exercise 4.

> To achieve a higher level in speaking, you need to react to other people's answers. Make a comment or ask a question. This will show that you can use your initiative.

> Voy a ir a...
> porque hay... y también se puede...
> y porque me gustaría...

¿Adónde te gustaría ir de vacaciones? Escribe un artículo.

○ Say what interests you and what you like and don't like to do on holiday. **(Soy muy... Me gusta... y me encanta... No me gusta nada...)**

○ Say where you would like to go and why. **(Me gustaría visitar... porque...)**

○ Try to include **mejor** or **peor**. **(Tiene las mejores playas de... Es peor que...)**

○ Include other tenses. **(El año pasado fui a... Fue... El año que viene voy a... Va a ser...)**

○ Talk about what others in your family like doing. **(A mi madre le gusta...)**

○ Use or adapt phrases from the texts in exercises 1 and 4.

- ● describe a holiday home — Tiene dos cuartos de baño, una cocina y un comedor.
- ● say why I prefer a house — Prefiero esta casa porque tiene una piscina.
- ● describe its location — Está cerca de la playa y tiene vistas al mar.
- ▪ use the comparative — Esta casa es más grande que las otras.

- ● ask what you can do in a holiday location — ¿Qué se puede hacer en Mallorca?
- ● say what activities you can do — Se puede ver la catedral y hacer senderismo.
- ▪ use the superlative — Es el destino turístico más importante de España.

- ● ask for directions — ¿Dónde está el parque de atracciones?
- ● understand and give directions — Sigue todo recto y está a la derecha.
- ▪ use the imperative (**tú** form) — Cruza la plaza y dobla a la izquierda.

- ● understand summer camp information — Vas a hacer vela y piragüismo.
- ● discuss summer camps — Voy a escoger el campamento de naturaleza porque me gustaría hacer escalada.
- ▪ use three tenses together — Me gusta hacer deporte. El verano pasado hice windsurf y el año que viene voy a montar a caballo.
- S use fillers to play for time — pues... a ver... bueno...

- S tackle more challenging listening passages by:
  - – listening for time expressions — el año pasado... hoy... el año que viene...
  - – listening for tenses — fui... voy... voy a ir...
  - – recognising points of view — Conocí a una chica muy simpática, así que lo pasé guay.
  - – coping with unfamiliar language — Fuimos a la playa y vimos delfines y ballenas.

- ● understand information about holiday destinations — Ibiza tiene las mejores playas de España.
- ● discuss holiday destinations — Me gustaría visitar Ibiza porque me encanta ir a la playa.
- ▪ use **mejor** and **peor** — Es el mejor parque de España. Mallorca es peor que Madrid.

¡PREPÁRATE!

1 Escucha. Escribe las letras de las <u>tres</u> actividades que <u>no</u> se mencionan.

a   b  c   d

e  f   g   h  i

2 Con tu compañero/a, haz <u>cinco</u> diálogos.

● ¿Dónde está el parque de atracciones?
■ Toma la primera a la derecha.

1   2 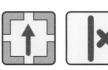 3

4   5

3 Lee el blog y contesta a las preguntas en inglés.

1 What three things does Alejandro normally do at the weekend?
2 What did he do at summer camp? Mention two things.
3 What did they do on the last day?
4 Where is he going to go next summer?
5 Why does he want to go there?

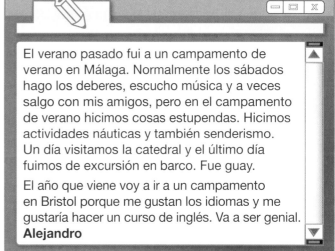

El verano pasado fui a un campamento de verano en Málaga. Normalmente los sábados hago los deberes, escucho música y a veces salgo con mis amigos, pero en el campamento de verano hicimos cosas estupendas. Hicimos actividades náuticas y también senderismo. Un día visitamos la catedral y el último día fuimos de excursión en barco. Fue guay.

El año que viene voy a ir a un campamento en Bristol porque me gustan los idiomas y me gustaría hacer un curso de inglés. Va a ser genial.
Alejandro

4 Imagina que el año pasado fuiste a un campamento de verano. Adapta el texto del ejercicio 3. Cambia los datos.

Say:
○ that last year you went to summer camp **(El año pasado fui…)**
○ what you normally do at the weekend **(Normalmente los fines de semana…)**
○ what you did at summer camp **(Pero en el campamento fui/hice…)**
○ what it was like **(Fue…)**
○ what you are going to do next summer and why **(El verano que viene voy a… porque…)**
○ what it's going to be like **(Va a ser…)**

¡GRAMÁTICA!

The comparative

When you want to compare two things, you use the comparative form of the adjective.

más + adjective + **que** → more... than   **menos** + adjective + **que** → less... than

The adjective agrees with the noun it describes.

El castill**o** es **más** bonit**o que** la catedral.   The castle is prettier than the cathedral.

La boler**a** es **menos** aburrid**a que** el museo.   The bowling alley is less boring than the museum.

1 **Unjumble these sentences.**

1 parque interesante acuático es El más que cuevas las.

2 karting aburrida La es más la que catedral pista de.

3 que acuario es minigolf emocionante El menos el.

4 estación de bonita tren la es menos catedral La que.

2 **Translate these sentences into Spanish.**

1 The go-kart track is bigger than the crazy golf.
2 The theme park is older than the water park.
3 The shopping centre is more modern than the sports centre.
4 The museum is less interesting than the zoo.
5 The cathedral is less exciting than the aquarium.

The superlative

You use the superlative to say '**the** small**est**', '**the most** comfortable', and so on.

definite article +	noun +	más +	adjective	
el	parque	más	grand**e**	the **biggest** park
la	playa	más	hermos**a**	the **most beautiful** beach
los	tiburones	más	feroc**es**	the **fiercest** sharks
las	cuevas	más	famos**as**	the **most famous** caves

3 **Translate these phrases using the words from the box.**

1 the oldest castle
2 the most delicious paella
3 the biggest palaces
4 the most exciting water sports
5 the most boring excursions
6 the most beautiful city

paella   más   náuticas   la   antiguo   más   excursiones   grandes
más   los   emocionantes   más   la   castillo   las   hermosa   ciudad
actividades   más   palacios   rica   el   las   más   aburridas

The imperative (tú form)

You use the imperative to tell someone what to do. Take the **tú** form of the verb in the present tense and take off the 's'.

doblas (you turn) → **¡dobla!** (turn!)
tomas (you take) → **¡toma!** (take!)

④ **Write down the imperative (tú form) of the following verbs. Then make up a simple sentence in Spanish using each one.**

Example: **1** ¡habla! ¡Habla español!

1 hablas
2 escuchas
3 comes
4 visitas
5 llevas
6 cruzas

Using different time frames

To reach a higher level, you need to show that you can use verbs in the present, the preterite and the near future tense. To do this, you need to be able to form the verbs correctly. If in doubt, use the verb tables on pages 130–132. Different verb groups work like this in the three main tenses:

	infinitive	**present**	**preterite**	**near future**
regular verbs	visit**ar** com**er** escrib**ir**	visit**o** com**o** escrib**o**	visit**é** com**í** escrib**í**	voy a visitar voy a comer voy a escribir
stem-changing verbs	jugar	**jue**go	jug**ué**	voy a jugar
irregular verbs	hacer ir ver tener	hago voy veo tengo	hice fui vi tuve	voy a hacer voy a ir voy a ver va a tener

⑤ **Choose the correct ending for each sentence. Sometimes there is more than one correct answer, but the tense of the verb must match the time marker.**

1 Ayer...
2 El verano que viene...
3 Hace dos años...
4 Los fines de semana...
5 El año que viene...
6 Normalmente...

> vamos a visitar Francia   fui al castillo   hago los deberes   visité México
>
> voy de vacaciones con mi familia   voy a hacer windsurf

⑥ **Copy out the text, putting each verb in brackets into the correct tense.**

> Me llamo Lucía y (tener, I) catorce años. Generalmente los fines de semana (ver, I) la televisión y a veces
> (salir, I) con mis amigas. (Jugar, we) al voleibol en el parque.
> El año pasado (ir, I) a un campamento de verano en el norte de España con mi amiga Elena.
> (Hacer, I) senderismo, (montar, I) a caballo y también (hacer, we) escalada. El último día (comer, we) paella.
> El verano que viene (ir, I) a un campamento de actividades náuticas donde (hacer, I) windsurf.

¡PALABRAS!

¿Qué casa prefieres?   Which house do you prefer?

Esta casa es...	This house is...	moderno/a	modern
Este piso es...	This flat is...	pequeño/a	small
amplio/a	spacious	La casa/El piso está...	The house/The flat is...
antiguo/a	old	cerca de la playa	near the beach
bonito/a	nice	en el centro	in the centre
cómodo/a	comfortable	en la montaña	in the mountains
enorme	enormous	más... que	more... than
feo/a	ugly	menos... que	less... than
grande	big	Prefiero...	I prefer...
maravilloso/a	marvellous	porque	because

La casa   The house

Tiene...	It has...	una chimenea	a fireplace
una cocina	a kitchen	un jacuzzi	a hot tub
un comedor	a dining room	un jardín	a garden
un cuarto de baño	a bathroom	una piscina	a swimming pool
un dormitorio	a bedroom	una terraza	a balcony, a terrace
un salón	a living room	vistas al mar	views of the sea

¿Qué se puede hacer en...?   What can you do in...?

Se puede(n)...	You can...	ir de paseo en bicicleta	go on a bike ride
hacer senderismo	go hiking	ir a la playa	go to the beach
hacer actividades náuticas	do water sports	ir al restaurante	go to the restaurant
		jugar al golf	play golf
hacer artes marciales	do martial arts	jugar al voleibol	play volleyball
ir a la bolera	go bowling	jugar al tenis	play tennis
ir al cine	go to the cinema	ver la catedral	see the cathedral
ir de compras	go shopping	visitar un castillo	visit a castle

¿Dónde está...?   Where is...?

la catedral	the cathedral	Dobla a la izquierda.	Turn left.
la estación de tren	the railway station	Toma la primera a la derecha.	Take the first on the right.
el minigolf	the minigolf		
el parque de atracciones	the theme park	Toma la segunda a la izquierda.	Take the second on the left.
el parque acuático	the water park		
la pista de karting	the go-kart track	Cruza la plaza.	Cross the square.
el zoo	the zoo	Está a la derecha.	It's on the right.
Sigue todo recto.	Keep straight on.	Está a la izquierda.	It's on the left.
Dobla a la derecha.	Turn right.		

Opiniones	Opinions		Me gustaría mucho...	I would really like...
Me gusta...	I like...		Me gustaría mucho...	I would really like...
Me encanta...	I love...		Me encantaría...	I would love...

Expresiones de tiempo   Time expressions

ayer	yesterday		hoy	today
el fin de semana pasado	last weekend		mañana	tomorrow
el verano pasado	last summer		este fin de semana	this weekend
el año pasado	last year		el verano que viene	next summer
hace dos años	two years ago		el año que viene	next year

Palabras muy frecuentes   High-frequency words

bastante	quite		está	it is
donde	where		muy	very
esta/este	this		también	also, too

Estrategia 5
Building your vocabulary

Try to collect words so that you can use them again. Here are some ideas:

1   Note down words in different categories:
- verbs
- adjectives
- nouns
- cognates

2   Note down words under different topic headings:
- houses
- holidays
- places and directions
- time expressions
- opinions

3   Note down words as pairs of opposites:
   moderno/a – antiguo/a

4   If you find a word difficult to remember, write out a sentence using it:
   grande → big
   Mi castillo es muy **grande** y tiene muchos dormitorios.

¡Visita mi ciudad!

○ Describing a town in your area
○ Creating a tourist brochure

1 Mira el mapa y lee las frases. ¿Verdadero o falso? Escribe V o F.

1 Madrid está en el centro de España.
2 Málaga está en el oeste de España.
3 Badajoz está en el sur de España.
4 Valencia está en el este de España.
5 Santander está en el noroeste de España.
6 San Sebastián está en el sureste de España.

2 Escucha y comprueba tus respuestas.

3 Mira el mapa. ¿Dónde están las ciudades?
Escribe <u>siete</u> frases en español.

Ejemplo: Belfast está en el este de Irlanda del Norte.

4 Empareja los dibujos con las descripciones.

Ejemplo: **1** f

1   **2**   **3**   **4**   **5**   **6**

a Es una ciudad muy grande.

b Es una ciudad grande.

c Es una ciudad bastante grande.

d Es una ciudad pequeña.

e Es la ciudad más grande de la región.

f Es la ciudad más pequeña de la región.

5 **Empareja las mitades de las frases.**

Ejemplo: **1** b

1 En Oviedo se puede ir de...
2 En Oviedo se puede visitar el...
3 En Oviedo hay muchos...
4 En Oviedo no te puedes perder...
5 En Oviedo...
6 En Oviedo hay una bolera...

a jardines y muchos restaurantes.
b compras.
c y también una piscina.
d hay muchas plazas.
e castillo.
f el mercado.

> **no te puedes perder...** *don't miss...*

> **Hay** un/una... There is a...
> **Hay** muchos/muchas... There are lots of...
> **Se puede visitar** el/la/los/las... You can visit the...

6 **Escucha y lee. Busca los <u>tres</u> errores en el folleto sobre Oviedo.**

> **es** is (description)
> **está** is (position/location)

Oviedo

Oviedo está en el noroeste de España.

Es la ciudad más pequeña de la región de Asturias.

Se puede visitar la catedral y la universidad.

También se puede ir de compras o ir al mercado.

En Oviedo hay muchos bares y muchas plazas bonitas.

Tienes que visitar el castillo y el parque de San Francisco.

Y no te puedes perder el Museo de Bellas Artes.

¡Ven a conocerlo! ¡Va a ser superaburrido!

7 **Lee los textos. Escribe el nombre correcto.**

Ejemplo: **1** Laura

Fui a Oviedo con mi madre y me encantó. Recomiendo el restaurante Casa Chema en la calle La Arquera. Comí fabada asturiana. ¡Qué rica!
Laura

El verano pasado fui a Oviedo con mi clase y fue estupendo. Visitamos la universidad y fuimos al Museo de Bellas Artes.
Manuel

El año pasado fui a Oviedo con mi familia y fue genial. Vi el castillo y las calles antiguas de Oviedo y también fuimos de compras.
Nuria

Who...

1 travelled with his or her mother?
2 went to the castle?
3 went to a museum?
4 saw the old streets?
5 recommends somewhere to eat?
6 visited the university?

8 **Haz un folleto para turistas españoles sobre una ciudad o un pueblo en el Reino Unido.**
Make a brochure for Spanish tourists about a city or town in the United Kingdom.

- Say where the town is and describe it. **(Manchester está en el noroeste de Inglaterra. Es una ciudad...)**
- Say what there is in the town, what you can do there. **(Hay... Se puede... No te puedes perder...)**
- Say what it will be like when they visit the town. **(¡Va a ser guay/fenomenal/superinteresante!)**
- Add some comments and recommendations. **(El año/El verano pasado fui a... Fue... Recomiendo...)**
- Include photos and a map.

Extra! At the end of your brochure, list some survival phrases in English for Spanish tourists. For example:
¿Dondé está la estación de tren? Where is the train station?

¡TE TOCA A TI!

1 **Completa el texto con las palabras del cuadro.**
Traduce el diálogo al inglés.

¿Adónde fuiste de **1** ——?
Fui a **2** ——.

¿**3** —— quién fuiste?
Fui con mi **4** ——.

¿**5** —— fuiste?
6 —— en avión.

Con   familia   Cómo   vacaciones   España   Fui

2 **Escribe** <u>tres</u> **diálogos. Utiliza el diálogo del ejercicio 1 como modelo. Cambia los datos.**

Ejemplo: ¿Adónde fuiste de vacaciones?
           Fui a <u>Italia</u>.

3 **Lee el texto. Escribe las letras en el orden correcto.**

Ejemplo: b, ...

El verano pasado fui a Gales
de vacaciones. Fui con mi
familia y fuimos en avión.

El primer día monté en
bicicleta y luego nadé en
el mar. ¡Qué guay!

Más tarde compré una
camiseta y después saqué fotos.

Por la noche bailé en
la discoteca.

a   b   c   d

e   f   g   h

4 **¿Cómo te fue? Escribe** <u>tres</u> **frases positivas ☺ y** <u>tres</u> **frases negativas ☹.**

Ejemplo: Fue guay porque hizo buen tiempo.

Fue horroroso		hizo buen tiempo.
Fue guay		comí algo malo y vomité.
Fue un desastre	porque	visité monumentos interesantes.
Fue horrible		perdí mi pasaporte.
Fue genial		conocí a un chico guapo.
Fue fenomenal		llovió.

1 Lee el texto. ¿Qué <u>no</u> se menciona?
Escribe las <u>dos</u> letras correctas.

a

b

c

d

e

f

g

> El último día de mis vacaciones, por la mañana fui de excursión en jeep con mis padres. Me encantó. Fue estupendo. Por la tarde fui a la playa, pero no descansé. Jugué al fútbol y mi equipo ganó. Más tarde fui a un restaurante con mi hermana donde comí paella y bebí un batido de fresa. ¡Qué rico! Después monté en bicicleta. Fue genial.
> **Aída**

Mi equipo ganó. *My team won.*

2 Lee el texto. Copia y completa la tabla en inglés.

> El verano pasado fui a Londres de vacaciones. El primer día visitamos el Museo Británico. Fue genial. Vi muchas cosas interesantes.
>
> Un día fuimos al Palacio de Buckingham y también visitamos la National Gallery, pero no fuimos a Downing Street. Otro día fuimos a la estación de Kings Cross, donde saqué una foto del andén 9¾. Fue guay. Me encantó porque me gusta mucho Harry Potter.
>
> El último día por la mañana fui de compras a Oxford Street, pero perdí mi móvil. ¡Qué desastre! Por la tarde fui al Museo del Transporte en Covent Garden, donde vi muchos trenes y autobuses interesantes. Después fuimos a un restaurante en Chinatown. Fue estupendo.

	places visited	other details
first day		
other days		
last day		

el andén *platform*

3 Fuiste a Londres el verano pasado con tus amigos. Escribe un texto.
Utiliza el texto del ejercicio 2 como modelo.

Say that:

○ on the first day you visited the Science Museum and saw interesting things **(El primer día visitamos...)**

○ on another day you visited the London Dungeon and took photos **(Otro día fuimos al...)**

○ on the last day in the morning you went out on a boat, but you lost your passport.
(El último día por la mañana salí en...)

○ in the afternoon you went shopping to Covent Garden
(Por la tarde fui...)

○ afterwards, you went to a restaurant **(Después fui...)**

Add opinions and exclamations.

> Lots of English place names (e.g. Covent Garden) are the same in Spanish.

 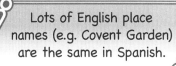

¡TE TOCA A TI!

1 **¿Qué haces con tu móvil? Descifra las frases. Luego traduce al inglés.**

What do you do with your mobile? Decode the sentences. Then translate into English.

Ejemplo: **1** A veces juego.   Sometimes I play games.

1 A veces juego.

2 De vez en cuando saco fotos.

3 Todos los días mando SMS.

4 A veces veo vídeos o películas.

5 Nunca descargo melodías o aplicaciones.

6 Dos o tres veces a la semana hablo por Skype.

2 **Lee el texto y completa el perfil de Teo.**

Me gusta mucho la música electrónica.

Mi grupo favorito es Hot Chip.

Mi canción favorita es 'Over and Over' porque me gusta el ritmo.

No me gusta nada la música de Justin Bieber. En mi opinión, es tonta.

❤ Likes:	electronic music
👤 Favourite group:	
🎵 Favourite song:	
? Reason:	
✗ Doesn't like:	

3 **Escribe un texto sobre Carolina. Adapta el texto del ejercicio 2.**

Ejemplo: Me gusta mucho el rock. Mi grupo favorito es…

❤ Likes:	rock music
👤 Favourite group:	Panda
🎵 Favourite song:	'Miércoles'
? Reason:	likes the words
✗ Doesn't like:	Paulina Rubio's music. It's boring.

4 **Lee las frases. Escribe el nombre correcto para cada dibujo.**

Ejemplo: **1** Martín

Me encantan los programas de deportes. **Martín**

Me encantan los realitys. **Isabel**

Me gusta el telediario. **Andrea**

No me gustan las telenovelas. **Mateo**

Me gustan mucho las series policíacas. **Leonardo**

No me gustan nada los documentales. **Ana**

Escribe estas frases en español.

Ejemplo: **1** Me gustan mucho las telenovelas
y también me gustan…, pero
no me gustan…

> **el telediario** is always singular:
> Me gust**a el** telediario.

Lee los textos. Completa las frases en inglés.

Ayer por la mañana salí con mis amigas.
Fuimos al centro comercial.

Luego escuchamos música en mi cuarto.
Mi grupo favorito es La Oreja de Van Gogh
porque me encantan el ritmo y la letra.

Por la tarde jugué a 'Just Dance'. ¡Qué guay!
Un poco más tarde vi un concurso con mis padres.
Me gustan los concursos. En mi opinión, son más
divertidos que los realitys.

Elena

Ayer por la mañana monté en bici y luego
hice gimnasia. Hago gimnasia tres veces
a la semana.

Por la tarde saqué fotos. Me encanta
sacar fotos. Es mi pasión.

Un poco más tarde salí con mis amigos.
Fuimos al cine, donde vimos una comedia.

Gabriel

1 Yesterday morning, Elena went out with her
friends to…
2 Her favourite group is La Oreja de Van Gogh
because…
3 In the evening, she… with her parents.

4 Gabriel does gymnastics three…
5 Yesterday afternoon, he…
6 Later, he went with his friends to the cinema,
where…

Describe tu día de ayer.
Describe your day yesterday.

- Say what you did in the morning.
  (Ayer por la mañana…)
- Say that you normally do this twice a week.
  (Normalmente…)

- Say what you did next. **(Luego…)**
- Say what you did in the afternoon. **(Por la tarde…)**
- Give an opinion. **(¡Qué…!)**
- Say what you did later. **(Un poco más tarde…)**

Lee los diálogos. Escribe la(s) letra(s) correcta(s) y copia la hora correcta.

Ejemplo:　**1**　g, i　7:30

1 ● ¿Qué desayunas? ¿A qué hora?
　■ Desayuno tostadas y café. Desayuno a las siete y media.

2 ● ¿Qué desayunas? ¿A qué hora?
　■ Desayuno té y cereales. Desayuno a las ocho.

3 ● ¿Qué desayunas? ¿A qué hora?
　■ Desayuno churros y Cola Cao. Desayuno a las siete y media.

4 ● ¿Qué desayunas? ¿A qué hora?
　■ Desayuno zumo de naranja y yogur. Desayuno a las siete y cuarto.

5 ● ¿Qué desayunas? ¿A qué hora?
　■ No desayuno nada.

ⓐ 　ⓑ 　ⓒ

ⓓ 　ⓔ 　ⓕ

ⓖ 　ⓗ 　ⓘ

Escribe cinco diálogos. Utiliza las letras del ejercicio 1.

Ejemplo:　**1**
● ¿Qué desayunas? ¿A qué hora?
■ Desayuno yogur y café. Desayuno a las ocho.

1　f, i **2**　d, c **3**　a, g **4**　b, e **5**　¿Y tú? ¿Qué desayunas? ¿A qué hora?

Lee las invitaciones. Copia y completa la tabla en inglés.

	1	2	3
type of party	sleepover		
day and date			
time			
place			
bring…			

1

Te invito a mi fiesta de pijamas…

Día: viernes, 8 de septiembre
Hora: a las siete y media
Lugar: en casa de Adela
Por favor, trae chocolate.

2

¡Vamos a celebrar mi cumpleaños!

Día: sábado, 21 de febrero
Hora: a las seis
Lugar: en el polideportivo
Por favor, trae limonada.

3

¡Fiesta Mexicana!

Día: domingo, 19 de junio
Hora: a las tres
Lugar: en el parque
Por favor, trae guacamole.

 1 ¿Qué menú van a escoger? Escribe la letra correcta para cada persona.

Ejemplo: **1** c

a

El pescador	
Gambas	6,40€
Calamares	6,30€
Pescado	11,50€
Paella	11,80€

b

El gallinero	
Huevos fritos con patatas	7,20€
Croquetas	5,00€
Patatas bravas	5,00€
Tortilla española	6,00€

c

El cazador	
Jamón	7,00€
Pollo con pimientos	9,50€
Chuletas de cerdo	10,50€
Filete	12,00€

a
Odio las verduras. Prefiero la carne.
José

2
No me gusta nada la carne, pero me gusta el marisco.
Rocío

3
Odio el pescado y el marisco. Soy vegetariano.
Pau

4
Me gusta la carne, pero prefiero el pescado.
Inés

5
No me gusta nada el pescado y odio la comida vegetariana.
Mateo

 2 Lee los textos y las frases en inglés. ¿Quién es? Escribe el nombre correcto.

Normalmente los fines de semana juego al fútbol, pero el fin de semana pasado fui a una fiesta de vampiros. Jugué al escondite y comí una hamburguesa. El año que viene voy a hacer una fiesta de magia en casa.
Jorge

Normalmente los fines de semana salgo con mis amigas, pero el fin de semana pasado fui a una fiesta de los años ochenta. Escuché música y bailé. Fue genial. El año que viene voy a hacer una fiesta de los años sesenta.
Valentina

Normalmente los fines de semana juego al voleibol, pero el fin de semana pasado fui a una fiesta de 'Guys & Dolls' con mis amigos. Comimos espaguetis y bebimos naranjada y luego jugamos a las cartas. Fue flipante. El año que viene voy a hacer una fiesta de 'rock 'n' roll'.
Tomás

1 Normally at weekends, I play volleyball.
2 Last weekend I played hide and seek and ate a hamburger.
3 Next year I am going to have a sixties party.
4 We ate spaghetti, drank orangeade and played cards.
5 Last weekend I went to an eighties party.
6 Next year I am going to have a magic-themed party.

 3 Traduce el texto al español.

Normally at the weekend I go bike riding, but last weekend I went to an Oscars party.

It was great. I watched the Oscars on the television. I ate popcorn and drank apple juice. Then I talked to my friends. Afterwards, we danced.

Next year I am going to have a Mexican party. It is going to be cool!

 Use the present tense to say what you **normally do**.

Use the preterite tense to say what you **did**.

Use the near future tense to say what you **are going to do**.

 Lee los diálogos. ¿Dónde quedan? ¿A qué hora? Escribe las <u>dos</u> letras correctas.
Read the dialogues. Where are they meeting? At what time? Write the <u>two</u> correct letters.

Ejemplo: **1** b, h

1
● ¿Te gustaría ir a la bolera?
■ Sí, me gustaría mucho. ¿Dónde quedamos?
● Al lado de la bolera.
■ Vale. ¿A qué hora?
● A las nueve.

2
● ¿Te gustaría ir a la pista de hielo?
■ Vale. ¿Dónde quedamos?
● Delante de la pista de hielo.
■ Muy bien. ¿A qué hora?
● A las ocho y media.

3
● ¿Te gustaría ir al centro comercial?
■ Vale. ¿Dónde quedamos?
● Detrás del centro comercial.
■ Genial. ¿A qué hora?
● A las once y cuarto.

4
● ¿Te gustaría ir al polideportivo?
■ De acuerdo. ¿Dónde quedamos?
● Enfrente del polideportivo.
■ Vale. ¿A qué hora?
● A las cuatro.

a	b	c	d	e	f	g	h

 Escribe <u>tres</u> diálogos. Utiliza los diálogos del ejercicio 1 como modelo.

1

2

3

 Escribe frases lógicas. Traduce las frases al inglés.

Ejemplo:
Normalmente los fines de semana <u>voy al parque</u>, pero este fin de semana <u>voy a ir al estadio</u>.
Normally at the weekend, I go to the park, but this weekend I am going to go to the stadium.

voy al parque	voy a cenar en un restaurante
llevo unos vaqueros	voy a ver una película
veo la televisión	voy a ir al estadio
ceno en casa	voy a salir con mis padres
salgo con mis amigos	voy a llevar un vestido

1 Lee las descripciones. Pon cada persona en la tribu urbana correcta.
Read the descriptions. Put each person into the correct urban tribe.

Ejemplo: Matías – Los punks

Las tribus urbanas

Los raperos

Los rockeros

Los skaters

Los punks

Normalmente llevo una camiseta gris, unos vaqueros negros y unas botas negras. Tengo una cresta mohicana roja. Me encanta la música de The Clash.
Matías

Generalmente llevo una sudadera amarilla, unos vaqueros y unas zapatillas de deporte. Me encanta hacer trucos de monopatín.
Natalia

Llevo una gorra azul y una camiseta gris muy grande. También llevo unos vaqueros muy grandes con zapatillas de deporte verdes. Este fin de semana voy a ver un concierto de Drake. ¡Va a ser guay!
Daniel

Generalmente llevo una camiseta negra de mi grupo favorito, unos vaqueros y unas botas altas. Tengo el pelo largo y negro.
Ana

2 Inventa una tribu urbana. Describe a un miembro.
Invent an urban tribe. Describe one of its members.

Ejemplo: Mi tribu urbana se llama los rocanroleros. Generalmente llevo…

3 Traduce el texto al español.

Normally, I wear jeans, a T-shirt and trainers, but this weekend I'm going to go out with my friends. We're going to go to a party and I'm going to wear orange trousers, a purple shirt and black shoes. It's going to be great.

4 Lee el texto. Contesta a las preguntas en inglés.

¡Hola! Me llamo Juanita y vivo en Alicante. Mi pasión es el tenis. Juego tres veces a la semana. Normalmente cuando juego, llevo una falda blanca y una camiseta blanca o un vestido blanco. También llevo una gorra porque en Alicante hace mucho sol. Cuando juego, bebo mucha agua porque hace calor.

El año pasado fui a un torneo de tenis en Valencia, donde vi un partido muy interesante. El año que viene voy a ir a Wimbledon con mi madre y voy a llevar mi camiseta de fan de David Ferrer. Va a ser estupendo.

1 What does Juanita do three times a week?
2 Name four things she wears.
3 Why did she go to Valencia?
4 How was the game she saw?
5 Who is she going to go to Wimbledon with?
6 What is she going to wear?

 1 Lee las descripciones y escribe la letra correcta para cada dibujo.

Ejemplo: **1** b

1 **2** **3** **4** **5**  **6**

a

Esta casa es muy bonita.

Está cerca de la playa y tiene vistas al mar.

Tiene tres dormitorios, un comedor bonito y una piscina.

b

Este piso es muy moderno.

Está en el centro de Palma de Mallorca.

Tiene un salón cómodo y un cuarto de baño moderno.

c

Esta casa es antigua.

Está en la montaña.

Tiene una cocina grande, una terraza bonita y un jardín.

 2 Tienes 24 horas en Málaga. ¿Qué vas a hacer? Copia y completa el texto con las palabras del cuadro.

En Málaga se pueden hacer muchas actividades interesantes.

Primero voy a... .

Luego, a las diez de la mañana voy a... .

Después voy a... 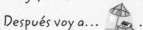 .

A las dos de la tarde voy a...  . Me gusta el marisco. ¡Ñam, ñam!

Y luego voy a... 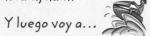 .

A las seis de la tarde voy a... .

¡Va a ser genial!

hacer actividades náuticas
ir a la playa
ir al restaurante
ir a la bolera
visitar el castillo
ir de paseo en bici

 3 Tienes 24 horas en Cádiz. Escribe un texto. Utiliza el texto del ejercicio 2 como modelo.

En Cádiz se pueden hacer muchas actividades interesantes.
Primero voy a...

To improve your writing, try to add a sentence with **Me gusta...** Look at exercise 2 to see an example of this.

1 Lee estas frases. ¿Son positivas o negativas? Escribe P o N. Luego traduce las frases al inglés.

Ejemplo: **1** P – I love Magaluf, it's more attractive than Bognor Regis.

1 Me encanta Magaluf, es más atractivo que Bognor Regis.
2 El año pasado perdí mi pasaporte en el aeropuerto. ¡Qué horror!
3 El año que viene voy a ir a Cuba. Va a ser fenomenal.
4 Hace dos años fui de vacaciones con mis padres. ¡Qué rollo!
5 Me gustaría visitar las islas Canarias en el futuro.
6 El verano pasado fui a Argentina en avión. ¡Qué aburrido!

2 Lee los textos. ¿Verdadero o falso? Escribe V o F.

Ejemplo: **1** F

¿Qué se puede hacer en Palma de Mallorca?

El año pasado fui a Mallorca de vacaciones y fue guay. Fui a Aqualand El Arenal, donde se puede bajar por el tobogán más alto de la isla. ¡Qué guay!
Raúl

El verano pasado fui a Palma y me encantó. Nadé en el mar y tomé el sol. Fui al puerto deportivo, donde se pueden hacer actividades náuticas estupendas. Mi madre visitó la catedral, pero yo descansé en la playa. No me gusta nada visitar monumentos.
Orlando

Fui a Palma con mi familia en agosto. Vi el castillo y la catedral y fuimos al Museo de Mallorca. Una noche fuimos a un restaurante muy bueno donde comí una sopa mallorquina muy rica. Conocí a muchas personas simpáticas. Fue fenomenal.
Conchita

1 Raúl pasó unas vacaciones muy aburridas en Mallorca.
2 En Palma de Mallorca Conchita visitó muchos monumentos.
3 Orlando pasó mucho tiempo en la playa.
4 Raúl fue a un parque de atracciones de la isla.
5 Orlando visitó la catedral con su madre.
6 A Conchita no le gustó nada la sopa mallorquina.

3 Escribe un texto sobre unas vacaciones verdaderas o imaginarias.

○ Say where you went last year. **(El año pasado fui a…)**
○ Give details of where you went and what you did there. **(Fui a… y también fuimos… Hice… y también hicimos…)**
○ Say what it was like. **(Fue…)**
○ Say where you are going to go next summer and give a reason. **(El verano que viene voy a… porque me gusta… y me gustaría…)**
○ Say what it's going to be like. **(Va a ser…)**

To improve your writing, say where something is located, or add a sentence with the superlative. Look at exercise 2 to see examples of these features.

The present tense

1 Regular verbs

The present tense is used to say what you normally do.

-ar verbs: chat**ar**   to chat (online)

(yo) chat**o**	I chat	(nosotros/as) chat**amos**	we chat
(tú) chat**as**	you chat	(vosotros/as) chat**áis**	you (plural) chat
(él/ella) chat**a**	he/she chats	(ellos/as) chat**an**	they chat

-er verbs: le**er**   to eat

le**o**	I read	le**emos**	we read
le**es**	you read	le**éis**	you (plural) read
le**e**	he/she reads	le**en**	they read

-ir verbs: escrib**ir**   to write

escrib**o**	I write	escrib**imos**	we write
escrib**es**	you write	escrib**ís**	you (plural) write
escrib**e**	he/she writes	escrib**en**	they write

2 Stem-changing verbs

These are also sometimes called 'boot' verbs.

jugar   to play

j**ue**go	I play	jugamos	we play
j**ue**gas	you play	jugáis	you (plural) play
j**ue**ga	he/she plays	j**ue**gan	they play

querer   to want

qu**ie**ro	I want	queremos	we want
qu**ie**res	you want	queréis	you (plural) want
qu**ie**re	he/she wants	qu**ie**ren	they want

poder   to be able/can

p**ue**do	I can	podemos	we can
p**ue**des	you can	podéis	you (plural) can
p**ue**de	he/she can	p**ue**den	they can

3 Irregular verbs

Some verbs don't follow the usual patterns. Learn each verb by heart.

ser   to be

soy	I am	somos	we are
eres	you are	sois	you (plural) are
es	he/she/it is	son	they are

The present tense (cont.)

tener   to have

ten**go**	I have	tenemos	we have
tienes	you have	tenéis	you (plural) have
tiene	he/she/it has	**tie**nen	they have

ir   to go

voy	I go	vamos	we go
vas	you go	vais	you (plural) go
va	he/she goes	van	they go

Some verbs are only irregular in the I form of the present tense.

hacer	to do/ to make	→	ha**go**	I do
salir	to go out	→	sal**go**	I go out
ver	to see	→	v**e**o	I see

④ **Reflexive verbs**

Reflexive verbs include a reflexive pronoun because they are often actions that you do to yourself.

lavarse   to wash oneself

me lavo	I wash myself/get washed	**nos** lavamos	we wash ourselves
te lavas	you wash yourself	**os** laváis	you (plural) wash yourselves
se lava	he/she washes him/herself	**se** lavan	they wash themselves

The preterite

① **Regular verbs**

The preterite (simple past tense) is used to talk about completed actions in the past.

-ar verbs: **mandar**   to send

mand**é**	I sent	mand**amos**	we sent
mand**aste**	you sent	mand**asteis**	you (plural) sent
mand**ó**	he/she sent	mand**aron**	they sent

-er verbs: **comer**   to eat

com**í**	I ate	com**imos**	we ate
com**iste**	you ate	com**isteis**	you (plural) ate
com**ió**	he/she ate	com**ieron**	they ate

-ir verbs: **salir**   to go out

sal**í**	I went out	sal**imos**	we went out
sal**iste**	you went out	sal**isteis**	you (plural) went out
sal**ió**	he/she went out	sal**ieron**	they went out

The preterite (cont.)

2 Irregular verbs

Some verbs don't follow the usual patterns in the preterite. Often verbs that are irregular in the present tense are also irregular in the preterite, but not always, e.g. **salir**. Learn each verb by heart.

hacer to do/to make

hice	I did	**hic**imos	we did
hiciste	you did	**hic**isteis	you (plural) did
hizo	he/she did	**hic**ieron	they did

tener to have

tuve	I had	**tuv**imos	we had
tuviste	you had	**tuv**isteis	you (plural) had
tuvo	he/she had	**tuv**ieron	they had

Ser and **ir** are irregular verbs. They are identical in the preterite.

	ser to be	**ir** to go
fui	I was	I went
fuiste	you were	you went
fue	he/she was	he/she went
fuimos	we were	we went
fuisteis	you (plural) were	you (plural) went
fueron	they were	they went

Some irregular verbs in the preterite only change their spelling in the I form.

sacar	to take	→	sa**qu**é	I took
jugar	to play	→	ju**gu**é	I played

The I and he/she forms of **ver** don't take an accent in the preterite.

ver	to see	→	v**i**	I saw
			v**io**	he/she saw

The near future tense

The near future is used to talk about what you are going to do. Use the present tense of the verb **ir** followed by **a** plus the <u>infinitive</u>.

voy a salir con mis amigos	I am going to go out with my friends
vas a comer paella	you are going to eat paella
va a ir a una fiesta	he/she is going to go to a party
vamos a jugar al fútbol	we are going to play football
vais a chatear	you are going to chat online
van a hacer los deberes	they are going to do their homework

Here is a key to the abbreviations in the second column:

adj	adjective
adv	adverb
conj	conjunction
exclam	exclamation
interj	interjection
interrog	interrogative
n (pl)	plural noun
nf	feminine noun
nm	masculine noun
npr	proper noun

num	number
prep	preposition
pron	pronoun
v	verb

The names for the parts of speech given here are those you are most likely to find in a normal dictionary. In *Viva* we use different terms for three of these parts of speech. These are:

adverb = intensifier
conjunction = connective
interrogative = question word

A

la abeja	nf	bee
abril	nm	April
la abuela	nf	grandmother
el abuelo	nm	grandfather
aburrido/a	adj	boring
acrobático/a	adj	acrobatic
la actividad	nf	activity
las actividades náuticas	nf (pl)	water sports
la actualidad	nf	current affairs
el acuario	nm	aquarium
de acuerdo	interj	all right
estar de acuerdo	v	to agree
adaptar	v	to adapt
adecuado/a	adj	appropriate
además	adv	also, in addition
¡adiós!	exclam	goodbye!
¿adónde?	interrog	where to?
agosto	nm	August
el agua	nf	water
el aguacate	nm	avocado
ahora	adv	now
el aire libre	nm	open air
el álbum	nm	album
la alfombra	nf	carpet
algo	pron	something
alisarse el pelo	v	to straighten one's hair
allí	adv	there
la almendra	nf	almond
alto/a	adj	tall, high

amarillo/a	adj	yellow
la amiga	nf	friend (female)
el amigo	nm	friend (male)
amplio/a	adj	spacious
la anaconda	nf	anaconda
el análisis	nm	analysis
el andén	nm	platform
andino/a	adj	Andean, from the Andes
el animal	nm	animal
anoche	adv	last night
antiguo/a	adj	old
el anuncio	nm	advert
el año	nm	year
la aplicación	nf	app
aprender	v	to learn
apuntar	v	to note down
argentino/a	adj	Argentinian
el armadillo	nm	armadillo
la arqueóloga	nf	archaeologist (female)
el arqueólogo	nm	archaeologist (male)
el arroz	nm	rice
el artista	nm	artist (male)
la artista	nf	artist (female)
artístico/a	adj	artistic, arts
¡qué asco!	exclam	how disgusting!
así que	conj	so
asturiano/a	adj	Asturian
atractivo/a	adj	attractive
atrapar	v	to catch

el autocar	nm	coach
el autógrafo	nm	autograph
avanzar	v	to move forward
la aventura	nf	adventure
el avión	nm	plane
ayer	adv	yesterday
azul	adj	blue

B

bailar	v	to dance
el baile de disfraces	nm	fancy dress ball
el baloncesto	nm	basketball
bañarse	v	to have a bath
el barco	nm	boat, ferry
los barcos	nm (pl)	battleships (game)
bastante	adv	quite
el batido	nm	milkshake
beber	v	to drink
el beicon	nm	bacon
el béisbol	nm	baseball
la bicicleta	nf	bicycle
la bicicleta estática	nf	exercise bike
muy bien	interj	very good
¡qué bien!	exclam	how great!
bienvenido/a	adj	welcome
blanco/a	adj	white
la blusa	nf	blouse
el bocadillo	nm	sandwich
la bolera	nf	bowling alley
bonito/a	adj	nice
la bota	nf	boot
la botella	nf	bottle
la bruja	nf	witch
bueno	interj	OK
bueno/a	adj	good
¡buenos días!	exclam	good day!, good morning!
buscar	v	to look for

C

cada	adj	each
el café	nm	coffee
la cafetería	nf	café
el calamar	nm	squid

el calcetín	nm	sock
la calle	nf	street
hacer calor	v	to be hot
la cámara	nf	camera
la camarera	nf	waitress
el camarero	nm	waiter
el camello	nm	camel
la camisa	nf	shirt
la camiseta	nf	T-shirt
el campamento	nm	camp
el campeonato	nm	championship
el canal	nm	channel
la canción	nf	song
el cantante	nm	singer (male)
la cantante	nf	singer (female)
el cante flamenco	nm	flamenco singing
la capa	nf	cloak
la capital	nf	capital (city)
caqui	adj	khaki
la cara	nf	face
el caracol	nm	snail
el caramelo	nm	sweet
la carne	nf	meat
la carnicería	nf	butcher's
la carrera	nf	career
la carta	nf	card, letter
la casa	nf	house
la casilla	nf	square (in grid)
el castillo	nm	castle
la catedral	nf	cathedral
el cavernícola	nm	caveman
la cavernícola	nf	cavewoman
el cebiche	nm	raw fish dish
la cebolla	nf	onion
celebrar	v	to celebrate
cenar	v	to have dinner
el centro	nm	centre
el centro comercial	nm	shopping centre
cerca	adv	near
los cereales	nm (pl)	cereal
la ceremonia	nf	ceremony
el chapulín	nm	grasshopper
la chaqueta	nf	jacket
chatear	v	to chat (online)

el chicle	nm	chewing gum
la chica	nf	girl
el chico	nm	boy
me chifla	v	I love (slang)
el chile	nm	chilli (pepper)
chileno/a	adj	Chilean
la chimenea	nf	fireplace
la chocolatina	nf	chocolate bar
la chuleta de cerdo	nf	pork chop
chulo/a	adj	cool, great
el churro	nm	churro (sweet fritter)
cien	num	a hundred
científico/a	adj	scientific
el ciervo	nm	deer
el cine	nm	cinema
la ciudad	nf	city
claro	adv	of course
la clase	nf	class
clásico/a	adj	classical
el coche	nm	car
la cocina	nf	kitchen
cocinar	v	to cook
la cola	nf	coke
el Cola Cao	nm	Cola Cao (chocolate drink)
la colección	nf	collection
coleccionar	v	to collect
colombiano/a	adj	Colombian
el color	nm	colour
la comedia	nf	comedy
el comedor	nm	dining room
comenzar	v	to begin
comer	v	to eat, to have lunch
comercial	adj	commercial
la comida	nf	food
¿cómo?	interrog	how?
cómodo/a	adj	comfortable
la compañera	nf	partner (female)
el compañero	nm	partner (male)
comparar	v	to compare
compartir	v	to share
la competición	nf	competition
completar	v	to complete
comprar	v	to buy
las compras	nf (pl)	shopping
comprobar	v	to check
con	prep	with

el concierto	nm	concert
el concursante	nm	contestant (male)
la concursante	nf	contestant (female)
el concurso	nm	game show, competition
el conde	nm	count
conocer	v	to meet, to know
el consejo	nm	advice
conservado/a	adj	preserved
contestar	v	to answer
contigo	pron	with you
copiar	v	to copy
el coraje	nm	courage
la corbata	nf	tie
la coreografía	nf	choreography
correcto/a	adj	correct
cortar	v	to cut, to chop
la cosa	nf	thing
la costa	nf	coast
la cresta mohicana	nf	Mohican
criminal	adj	criminal
la croqueta	nf	croquette (small fried food roll)
el crucero	nm	cruise
cruzar	v	to cross
el cuadro	nm	box, painting
¿cuál?	interrog	what?, which?
cuando	conj	when
¿cuándo?	interrog	when?
¿cuánto/a?	interrog	how much?
¿cuántos/as?	interrog	how many?
el cuarto	nm	room, quarter
el cuarto de baño	nm	bathroom
cubano/a	adj	Cuban
la cuenta	nf	bill
el cuero	nm	leather
la cueva	nf	cave
cuidar	v	to look after
la cultura	nf	culture
el cumple(años)	nm	birthday
cumplir	v	to be (years old)
el curso	nm	course

D

el dado	nm	die
dar	v	to give
el dato	nm	detail

los deberes	nm (pl)	homework
decidir	v	to decide
decir	v	to say, to tell
¡no me digas!	exclam	really?
la decisión	nf	decision
dejar	v	to allow, to let
delante de	prep	in front of
el delfín	nm	dolphin
demasiado/a	adv	too (much)
demasiados/as	adj	too many
depender	v	to depend
el deporte	nm	sport
deportista	adj	sporty
deportivo/a	adj	sports
la derecha	nf	right
el desastre	nm	disaster
desayunar	v	to have breakfast
el desayuno	nm	breakfast
descansar	v	to relax
descargar	v	to download
descifrar	v	to decode
describir	v	to describe
la descripción	nf	description
descubrir	v	to discover
el desfile de moda	nm	fashion show
despacio	adv	slowly
después	adv	afterwards
el destino	nm	destination
el destino turístico	nm	tourist destination
el detalle	nm	detail
detrás de	prep	behind
el diálogo	nm	dialogue
el dibujo	nm	picture
el diccionario	nm	dictionary
diciembre	nm	December
el diente	nm	tooth
diferente	adj	different
el dinero	nm	money
el disco	nm	record, CD
la discoteca	nf	(night) club
diseñar	v	to design
el disfraz	nm	(fancy dress) costume
disfrutar de	v	to enjoy

la disponibilidad	nf	ownership
la diversión	nf	fun
divertido/a	adj	fun, funny
divino/a	adj	divine
doblar	v	to turn
el documental	nm	documentary
el domingo	nm	Sunday
dormir	v	to sleep
¿dónde?	interrog	where?
el dormitorio	nm	bedroom
ducharse	v	to have a shower

E

el edificio	nm	building
el ejemplo	nm	example
el ejercicio	nm	exercise
electrónico/a	adj	electronic
elegante	adj	elegant
elegir	v	to choose
emocionante	adj	exciting
emparejar	v	to match up
empezar	v	to start
en	prep	in
me encanta(n)	v	I love
encima de	prep	on top of
encontrar	v	to find
la encuesta	nf	quiz, survey
enero	nm	January
enfadarse	v	to get angry
enfrente de	prep	opposite
enorme	adj	enormous
la ensalada	nf	salad
entender	v	to understand
la entrada	nf	ticket, entry
el entretenimiento	nm	entertainment
la entrevista	nf	interview
el equipo	nm	team
equivalente	adj	equivalent
el error	nm	error
la escalada	nf	climbing
Escocia	npr	Scotland
escoger	v	to choose
el escondite	nm	hide and seek
escribir	v	to write

escuchar	v	to listen
la espada	nf	sword
los espaguetis	nm (pl)	spaghetti
España	npr	Spain
el español	nm	Spanish (language)
español(a)	adj	Spanish
la especialidad	nf	speciality
esperar	v	to wait
espumoso/a	adj	sparkling
el esquí	nm	ski(ing)
la estación	nf	station
la estación de autobuses	nf	bus station
la estación de tren	nf	train station
el estadio	nm	stadium
estar	v	to be
la estatua	nf	statue
el este	nm	east
este/a	adj	this
el estilo	nm	style
estos/as	adj	these
el estudio	nm	study
estupendo/a	adj	brilliant
el euro	nm	euro
la excursión	nf	trip
la experiencia	nf	experience
el experimento	nm	experiment
el explorador	nm	explorer (male)
la exploradora	nf	explorer (female)
la expresión	nf	expression

F

la fabada (asturiana)	nf	(Asturian) bean stew
la fajita	nf	fajita
la falda	nf	skirt
la familia	nf	family
la famosa	nf	celebrity (female)
el famoso	nm	celebrity (male)
favorito/a	adj	favourite
febrero	nm	February
la fecha	nf	date
la fecha de nacimiento	nf	date of birth
feliz	adj	happy
fenomenal	adj	fantastic
feo/a	adj	ugly
feroz	adj	fierce

la ficha	nf	profile
la fiesta	nf	party
la fiesta de pijamas	nf	sleepover
el filete	nm	steak
el fin de semana	nm	weekend
finalmente	adv	finally
el flamenco	nm	flamenco
flipante	adj	awesome
la flor	nf	flower
el folleto	nm	brochure
la forma	nf	shape
el foro	nm	forum
la foto	nf	photo
Francia	npr	France
la frase	nf	sentence, phrase
la frecuencia	nf	frequency
frecuente	adj	frequent
frente a	prep	as opposed to
la fresa	nf	strawberry
el frijol	nm	bean
frío/a	adj	cold
el frito mallorquín	nm	Mallorcan fried fish or meat dish
la fruta	nf	fruit
la frutería	nf	greengrocer's
la fuente	nf	fountain
el fútbol	nm	football
el futuro	nm	future (tense)

G

las gafas de sol	nf (pl)	sunglasses
Gales	npr	Wales
gallego/a	adj	Galician
la gamba	nf	prawn
tener ganas de	v	to feel like
ganar	v	to win
el gaucho	nm	gaucho (South American cowboy)
generalmente	adv	generally
el género	nm	gender
genial	adj	great
la gente	nf	people
la gimnasia	nf	gymnastics
la gira	nf	tour
el gnomo	nm	gnome
el gol	nm	goal
el golf	nm	golf

la gomina	nf	(hair) gel
la gorra	nf	cap
el gorro	nm	(woollen) hat
¡gracias!	exclam	thanks!
la gramática	nf	grammar
el gramo	nm	gramme
grande	adj	big
Grecia	npr	Greece
gris	adj	grey
el grupo	nm	group, band
el guacamole	nm	guacamole
guapo/a	adj	good-looking
¡guau!	exclam	wow!
guay	adj	cool
la guerra	nf	war
la guía	nf	guide (book)
el guión	nm	script
la guitarra	nf	guitar
le gusta(n)	v	he/she likes
me gusta(n)	v	I like
te gusta(n)	v	you like
me gustaría	v	I would like to

H

hablar	v	to speak
hacer	v	to make, to do
hace	v	ago
el hambre	nf	hunger
tener hambre	v	to be hungry
la hamburguesa	nf	hamburger
hasta	prep	as far as, until
¡hasta luego!	exclam	see you later!
la heladería	nf	ice cream shop
el helado	nm	ice cream
el helicóptero	nm	helicopter
la hermana	nf	sister
el hermano	nm	brother
hermoso/a	adj	beautiful
el héroe	nm	hero
la hierba	nf	grass
la hija única	nf	only child (female)
el hijo único	nm	only child (male)
hispanohablante	adj	Spanish-speaking
la historia	nf	story, history

la hoja	nf	leaf
la hora	nf	hour, time
el horario de apertura	nm	opening hours
¡qué horror!	exclam	how dreadful!
horroroso/a	adj	terrible, hideous
hoy	adv	today
el huevo	nm	egg

I

imaginar	v	to imagine
imaginario/a	adj	imaginary
impresionante	adj	impressive
increíble	adj	incredible
inflable	adj	inflatable
informativo/a	adj	informative
Inglaterra	npr	England
el ingrediente	nm	ingredient
la injusticia	nf	injustice
el insecto	nm	insect
el insti(tuto)	nm	(secondary) school
la instrucción	nf	instruction
intensivo/a	adj	intensive
interesante	adj	interesting
el interior	nm	inland
el Internet	nm	internet
la invasión	nf	invasion
inventar	v	to make up
la invitación	nf	invitation
invitado/a	adj	invited
la invitada	nf	guest (female)
el invitado	nm	guest (male)
invitar	v	to invite
ir	v	to go
Irlanda	npr	Ireland
la isla	nf	island
Italia	npr	Italy
la izquierda	nf	left

J

el jacuzzi	nm	hot tub
el jaguar	nm	jaguar
el jamón	nm	(cured) ham
el jardín	nm	garden

el jardín botánico	nm	botanical garden
el jersey	nm	jumper
joven	adj	young
los jóvenes	nm (pl)	young people
el juego	nm	game
el juez	nm	judge (male)
la juez	nf	judge (female)
el jugador	nm	player (male)
la jugadora	nf	player (female)
jugar	v	to play
julio	nm	July
junio	nm	June
justo/a	adj	fair

K

el kárate	nm	karate
el kilo	nm	kilo

L

al lado de	prep	next to
la langosta	nf	lobster
¡qué lástima!	exclam	what a shame!
latinoamericano/a	adj	Latin American
lavar	v	to wash
la leche	nf	milk
la lechuga	nf	lettuce
leer	v	to read
la letra	nf	letter, lyrics
la ley	nf	law
el libro	nm	book
la limonada	nf	lemonade
en línea	adv	online
listo/a	adj	ready
la llama	nf	llama
llamar	v	to call
llamarse	v	to be called
la llegada	nf	arrival, finish
llevar	v	to wear, to take
llover	v	to rain
la lluvia de ideas	nf	brainstorm
loco/a	adj	mad
lógico/a	adj	logical
Londres	npr	London
luchar (contra)	v	to fight (against)
luego	adv	then, later
el lugar	nm	place
el lunes	nm	Monday

M

la madre	nf	mother
madridista	adj	relating to Real Madrid
la magia	nf	magic
el mago	nm	wizard
mal	adv	badly
malo/a	adj	bad
mandar	v	to send
la manzana	nf	apple
la mañana	nf	morning
mañana	adv	tomorrow
el mapa	nm	map
maquillarse	v	to put on make-up
el mar	nm	sea
maravilloso/a	adj	marvellous
marcar	v	to score
el marisco	nm	seafood, shellfish
marrón	adj	brown
marzo	nm	March
más	adv	more, most
más tarde	adv	later
maya	adj	Mayan
mayo	nm	May
la medianoche	nf	midnight
medio/a	adj	half
mejor	adj	better, best
mejorar	v	to improve
la melodía	nf	ringtone, tune
la memoria	nf	memory
mencionar	v	to mention
menor	adj	younger
menos	adv	less
el mensaje	nm	message
la mensajería instantánea	nf	instant messaging
la mente	nf	mind
el menú del día	nm	daily special menu
el mercadillo	nm	street market
el mercado	nm	market
el mes	nm	month
mexicano/a	adj	Mexican
mezclar	v	to mix
tener miedo	v	to be frightened
el miembro	nm	member
el miércoles	nm	Wednesday
militar	adj	military

millón	_num_	_million_
el minigolf	_nm_	_minigolf_
mirar	_v_	_to look_
la mitad	_nf_	_half_
mixto/a	_adj_	_mixed_
la mochila	_nf_	_rucksack_
la moda	_nf_	_fashion_
el modelo	_nm_	_model_
moderno/a	_adj_	_modern_
el mono	_nm_	_monkey_
el monopatín	_nm_	_skateboard_
la montaña	_nf_	_mountain(s)_
montar	_v_	_to ride_
montar a caballo	_v_	_to go horse riding_
el montón	_nm_	_load(s)_
un montón de	_nm_	_loads of_
el monumento	_nm_	_monument_
morado/a	_adj_	_purple_
la moto de agua	_nf_	_jet ski_
el móvil	_nm_	_mobile_
muchísimo	_adv_	_very much, really_
mucho	_adv_	_a lot_
mucho(s)/a(s)	_adj_	_a lot of, many_
la muletilla	_nf_	_filler_
el mundo	_nm_	_world_
el museo	_nm_	_museum_
la música	_nf_	_music_
musical	_adj_	_musical_
muy	_adv_	_very_

N

nacer	_v_	_to be born_
los nachos	_nm (pl)_	_nachos_
nacional	_adj_	_national_
nada	_adv_	_at all, nothing_
nadar	_v_	_to swim_
naranja	_adj_	_orange_
la naranjada	_nf_	_orangeade_
narrar	_v_	_to narrate_
el nativo digital	_nm_	_digital native_
la naturaleza	_nf_	_nature_
náutico/a	_adj_	_nautical_
negativo/a	_adj_	_negative_
negro/a	_adj_	_black_

¡ni hablar!	_exclam_	_no way!_
los niños	_nm (pl)_	_children_
no	_adv_	_no/not_
la noche	_nf_	_night_
esta noche	_adv_	_tonight_
el nombre	_nm_	_name_
normal	_adj_	_normal, usual_
normalmente	_adv_	_normally_
el noreste	_nm_	_north-east_
el noroeste	_nm_	_north-west_
el norte	_nm_	_north_
novecientos	_num_	_nine hundred_
noviembre	_nm_	_November_
nuevo/a	_adj_	_new_
de nuevo	_adv_	_again_
el número	_nm_	_number_
nunca	_adv_	_never_

Ñ

¡ñam, ñam!	_exclam_	_yum, yum!_

O

ochenta	_num_	_eighty_
octubre	_nm_	_October_
odiar	_v_	_to hate_
el oeste	_nm_	_west_
la oferta	_nf_	_offer_
la oficina	_nf_	_office_
ofrecer	_v_	_to offer_
la operación	_nf_	_operation_
opinar	_v_	_to have an opinion_
la opinión	_nf_	_opinion_
el orden	_nm_	_order_
ordenar	_v_	_to tidy_
el origen	_nm_	_origin_
original	_adj_	_original_
otra vez	_adv_	_again_
otro/a	_adj_	_another_

P

el padre	_nm_	_father_
los padres	_nm (pl)_	_parents_
la paella	_nf_	_paella_
el país	_nm_	_country_

la palabra	nf	word
el palacio	nm	palace
las palomitas	nf (pl)	popcorn
el pan	nm	bread
la panadería	nf	bakery
el panda	nm	panda
los pantalones	nm (pl)	trousers
los pantalones cortos	nm (pl)	shorts
el papel	nm	lines, part, role
el paquete	nm	packet
para	prep	for
la parada	nf	save
la pareja	nf	couple
el parque	nm	park
el parque acuático	nm	water park
el parque de atracciones	nm	theme park
el parque nacional	nm	national park
el párrafo	nm	paragraph
participar	v	to take part, to participate
el partido	nm	match
pasado/a	adj	last
el pasaporte	nm	passport
pasarlo fatal	v	to have an awful time
pasarlo fenomenal	v	to have a fantastic time
pasear (el perro)	v	to walk (the dog)
el paseo	nm	walk
el paseo en bici(cleta)	nm	bike ride
la pasión	nf	passion
el pastelito	nm	cupcake
la patata	nf	potato
las patatas bravas	nf (pl)	fried potatoes with spicy sauce
las patatas fritas	nf (pl)	chips
el patinaje	nm	skating
el payaso	nm	clown
peinarse	v	to comb one's hair
la película	nf	film
el pelo	nm	hair
peor	adj	worse, worst
pequeño/a	adj	small
perder	v	to lose, to miss
perdido/a	adj	lost
perezoso/a	adj	lazy

perfecto/a	adj	perfect
el perfil	nm	profile
pero	conj	but
el perro	nm	dog
la persona	nf	person
el personaje	nm	character
la pesca	nf	fishing
la pescadería	nf	fishmonger's
el pescado	nm	fish
el pimiento	nm	pepper
el pingüino	nm	penguin
pintar	v	to paint
la pintura	nf	painting
la piñata	nf	paper container filled with sweets
el piragüismo	nm	canoeing
la piraña	nf	piranha
el pirata	nm	pirate
la piscina	nf	swimming pool
el piso	nm	flat
la pista de hielo	nf	ice rink
la pista de karting	nf	go-kart track
el plano	nm	plan (map)
el plato	nm	dish
la playa	nf	beach
la plaza	nf	square (in town)
un poco	adv	a bit
poder	v	to be able to, can
el polideportivo	nm	sports centre
el pollo	nm	chicken
el polo	nm	polo shirt
por	prep	for
el por ciento	nm	per cent
por eso	conj	for this reason
¡por favor!	exclam	please!
¿por qué?	interrog	why?
por supuesto	adv	of course
porque	conj	because
la portera	nf	goalkeeper (female)
el portero	nm	goalkeeper (male)
positivo/a	adj	positive
el postre	nm	dessert
practicar	v	to rehearse, to practise, to do
precioso/a	adj	lovely
preferir	v	to prefer
la pregunta	nf	question

preguntar	v	to ask
el premio	nm	award/prize
preparar	v	to prepare
prepararse	v	to get ready
la presentación	nf	presentation
presentar	v	to present
el presente	nm	present (tense)
el pretérito	nm	past/preterite (tense)
primer(o/a)	adj	first
el primer plato	nm	starter
principal	adj	main
probar	v	to try
el problema	nm	problem
la pronunciación	nf	pronunciation
¡puaj!	exclam	yuck!
el pueblo	nm	village, town
el puerto	nm	port
el puerto deportivo	nm	marina
pues	interj	well
la puesta de sol	nf	sunset
el pulpo	nm	octopus
el puma	nm	puma
en punto	adv	on the dot

Q

que	conj	than, that
(¿)qué(?)	exclam/ interrog	how(?), what(?)
quedar	v	to meet up
querer	v	to want
la quesadilla	nf	quesadilla
el queso	nm	cheese
¿quién?	interrog	who?

R

el rabo de toro	nm	oxtail
rallar	v	to grate
rallado/a	adj	grated
el rap	nm	rap
raro/a	adj	weird
la razón	nf	reason
tener razón	v	to be right
la reacción	nf	reaction
el reality	nm	reality show

recomendar	v	to recommend
recto	adv	straight
la red social	nf	social networking site
redondo/a	adj	round
refrito/a	adj	refried
la región	nf	region
regional	adj	regional
regular	adj	not bad, OK
relajarse	v	to relax
rellenar	v	to fill in
repetir	v	to repeat
la reserva natural	nf	nature reserve
responder	v	to answer
responsable	adj	responsible
el restaurante	nm	restaurant
retroceder	v	to move back
el rey	nm	king
rico/a	adj	delicious
el río	nm	river
el ritmo	nm	rhythm
el R'n'B	nm	R'n'B (music)
el rock	nm	rock (music)
el roedor	nm	rodent
rojo/a	adj	red
¡qué rollo!	exclam	how annoying!
rosa	adj	pink
las ruinas	nf (pl)	ruins

S

el sábado	nm	Saturday
saber	v	to know
sacar	v	to take
la salida	nf	departure, start
salir	v	to go out
salir de fiesta	v	to go to a party
el salón	nm	living room
la salsa	nf	salsa, sauce
el samurái	nm	samurai
la sangre	nf	blood
el secreto	nm	secret
la sed	nf	thirst
tener sed	v	to be thirsty
seguir	v	to continue
el segundo plato	nm	main course

la selva	nf	jungle
la semana	nf	week
sencillo/a	adj	simple
el senderismo	nm	hiking
sensacional	adj	sensational
sentir	v	to be sorry
el señor	nm	sir, gentleman
la señora	nf	madam, lady
septiembre	nm	September
ser	v	to be
la serie	nf	series
la serie policíaca	nf	police series
la serpiente	nf	snake
servir	v	to serve
sesenta	num	sixty
severo/a	adj	strict
siempre	adv	always
significar	v	to mean
significativo/a	adj	significant
el símbolo	nm	symbol
simpático/a	adj	friendly
el SMS	nm	text (message)
el sol	nm	sun
el sombrero	nm	hat
el sondeo	nm	survey
la sopa	nf	soup
subrayar	v	to underline
la sudadera	nf	sweatshirt
el sueño	nm	dream
¡ni en sueños!	exclam	not a chance!
la suerte	nf	luck
superaburrido/a	adj	really boring
superdivertido/a	adj	really fun
superguay	adj	really cool
el superhéroe	nm	superhero
el sur	nm	south
el sureste	nm	south-east
el surf	nm	surfing
el suroeste	nm	south-west

T

la tabla	nf	table
el tablero	nm	(game) board
la tableta de chocolate	nf	chocolate bar
el talento	nm	talent
también	adv	also, too

la tarde	nf	evening, afternoon
más tarde	adv	later
la tarta de queso	nf	cheesecake
el tatuaje	nm	tattoo
el té	nm	tea
el teatro	nm	theatre, drama
el telediario	nm	news
la telenovela	nf	soap opera
la televisión	nf	TV
el tema	nm	theme, topic
tener	v	to have
tener lugar	v	to take place
tener que	v	to have to
terminar	v	to finish
la terraza	nf	balcony, terrace
el texto	nm	text
el tío	nm	uncle
la tía	nf	aunt
el tiburón	nm	shark
el tiempo	nm	weather, time
la tienda	nf	shop
la tienda de campaña	nf	tent
el tigre	nm	tiger
típico/a	adj	typical
el tipo	nm	type
la tira cómica	nf	comic strip
tirar	v	to throw
el titular	nm	headline
el título	nm	title
el tobogán	nm	slide
tocar	v	to play
me toca	v	it's my turn
te toca	v	it's your turn
todo	pron	everything
todo recto	adv	straight on
todos	pron	everybody
todos los días	adv	every day
tomar	v	to have, to take
tomar el sol	v	to sunbathe
el tomate	nm	tomato
tonto/a	adj	silly
el torneo	nm	tournament
la tortilla	nf	tortilla wrap
la tortilla española	nf	Spanish omelette
la tortuga	nf	turtle, terrapin
la tortuga marina	nf	sea turtle

la tostada	nf	toast
el trabajo	nm	work
tradicional	adj	traditional
traducir	v	to translate
traer	v	to bring
el traje	nm	suit
tranquilo/a	adj	calm
tratar de	v	to try to, to be about
el tren	nm	train
el tres en raya	nm	noughts and crosses
la tribu urbana	nf	urban tribe
triste	adj	sad
el trofeo	nm	trophy
el truco	nm	trick
el tuit	nm	tweet
el túnel	nm	tunnel
el turismo	nm	tourism
el turno	nm	turn

U

último/a	adj	last
el uniforme	nm	uniform, strip
la universidad	nf	university
usar	v	to use
el uso	nm	use
usted	pron	you (formal)
ustedes	pron	you (formal, plural)
utilizar	v	to use

V

¡qué va!	exclam	no way!
la vaca	nf	cow
las vacaciones	nf (pl)	holidays
la vainilla	nf	vanilla
¡vale!	exclam	OK!
valenciano/a	adj	Valencian
el vampiro	nm	vampire
los vaqueros	nm (pl)	jeans, cowboys
¡vaya!	exclam	well!
vegetariano/a	adj	vegetarian
la vela	nf	sailing
la velocidad	nf	speed
venir	v	to come
ver	v	to see, to watch

el verano	nm	summer
¿de verdad?	interrog	really?
el verbo	nm	verb
verdadero/a	adj	true, real
verde	adj	green
la verdura	nf	vegetable
el vestido	nm	dress
vestirse	v	to get dressed
la vez	nf	time
a veces	adv	sometimes
de vez en cuando	adv	from time to time
la vida	nf	life
el vídeo	nm	video
el videojuego	nm	video game
el viernes	nm	Friday
visitar	v	to visit
la vista al mar	nf	view of the sea
vivir	v	to live
el volcán	nm	volcano
el voleibol	nm	volleyball
vomitar	v	to vomit
la voz	nf	voice

W

el windsurf	nm	windsurfing

Y

el yogur	nm	yogurt

Z

la zapatilla de deporte	nf	trainer
el zapato	nm	shoe
el zoo	nm	zoo
el zorro	nm	fox
el zumo	nm	juice